Le secret de CHANDA

Ouvrage publié originellement par Annick Press sous le titre *Chanda's Secrets*
© Annick Press Ldt. / Agence littéraire Sea of stories
Texte © 2004, Allan Stratton
Illustration de couverture © 2006, studio Bayard Éditions Jeunesse,
avec l'autorisation du journal *La Croix*
pour la reproduction d'un article de Pierre Cochez.

Pour la traduction française
© Bayard Éditions, 2009
© Bayard Éditions Jeunesse, 2006
18, rue Barbès, 92128 Montrouge Cedex
ISBN : 978-2-7470-1460-1
Dépôt légal : avril 2006
Quatrième édition

Allan Stratton

Traduit de l'anglais (Canada) par Sidonie Van den Dries

bayard jeunesse

Allan Stratton est un romancier dont les œuvres ont fait le tour du monde ; certaines ont été couronnées de prix littéraires. Il est également dramaturge. Pour écrire *Chanda's Secrets*, Allan a effectué des voyages en Afrique du Sud, au Zimbabwe et au Botswana, où divers organismes l'ont mis en contact avec des gens qui vivent avec le virus du sida et/ou travaillent à le combattre. Il a rencontré des individus, des organismes de soutien et d'éducation, des entrepreneurs de pompes funèbres dans les villes, les villages et les fermes. Ce livre existe grâce aux conseils et aux encouragements de toutes les personnes qu'il a rencontrées. Allan Stratton vit actuellement à Toronto.

Pour ceux qui ont disparu et ceux qui survivent.

Note de l'auteur

L'Afrique subsaharienne comprend plusieurs nations indépendantes, qui possèdent chacune leur histoire politique, sociale et culturelle propre. *Le secret de Chanda* raconte le parcours d'une jeune fille et de sa famille dans un pays de fiction, qui ne prétend égaler en complexité aucun pays réel, pas plus que couvrir la vaste gamme de différences d'histoires et d'expériences que l'on rencontre dans la région subsaharienne. Les personnages sont également fictifs.

Première partie

1

Je suis seule dans le bureau des pompes funèbres
« Lumière Éternelle », l'entreprise de M. Bateman. On
est lundi matin, tôt, et je patiente pendant qu'il reçoit
une livraison de cercueils.

« Je m'occupe de toi dès que j'ai terminé, m'a-t-il
promis. En attendant, si tu veux, tu peux aller regarder
les poissons dans mon bureau. L'aquarium est tout au
fond, contre le mur. Si tu t'ennuies, il y a des magazines
sur la table basse. Et, au fait... désolé pour ta sœur. »

Je n'ai pas envie de regarder les poissons de M. Bateman,
et encore moins de lire. J'ai hâte d'en finir. Si je dois
rester encore longtemps ici, je vais me mettre à pleurer
et passer pour une idiote.

Le bureau de M. Bateman est une pièce immense et
sombre. Les volets sont fermés et les néons presque tous
éteints. Seuls une lampe de bureau et l'aquarium éclairent

la pièce. C'est sans doute préférable : l'obscurité dissi-mule le bazar empilé dans les coins. Je distingue des mar-teaux, des planches, des pots de peinture, des scies, des boîtes de clous et un escabeau. M. Bateman a fini ses travaux de rénovation il y a six mois, mais il n'a pas encore fait le ménage.

Avant les travaux, M. Bateman ne s'occupait pas d'enterrements. Il possédait un magasin de matériaux de construction, ce qui explique pourquoi son entreprise est située entre un entrepôt de bois de construction et un loueur de bétonnières. Il avait ouvert son affaire en arrivant d'Angleterre, il y a huit ans. Elle marchait bien, mais aujourd'hui, malgré le boom du bâtiment, il y a plus d'argent à faire avec la mort que dans cette branche.

Le jour de l'inauguration, M. Bateman a déclaré qu'il comptait lancer une chaîne de pompes funèbres « Lumière Éternelle » dans tout le pays d'ici deux ans. Quand les journalistes lui ont demandé s'il s'y connaissait en tech-niques d'embaumement, il a avoué que ce n'était pas le cas, et leur a assuré qu'il suivait les cours par correspon-dance de je ne sais plus quelle université américaine. Il a aussi promis d'employer les meilleurs coiffeurs de la ville et d'offrir des réductions.

— Chacun aura sa place chez Bateman, a-t-il affirmé. Même les pauvres.

Voilà pourquoi je suis là.

Quand M. Bateman entre enfin, je ne le remarque pas. Je ne sais comment j'ai atterri sur une chaise pliante, devant son aquarium. Je fixe un scalaire. Le poisson me rend mon regard, et j'aimerais bien savoir à quoi il pense. Sait-il qu'il est prisonnier d'une cuve pour le restant de ses jours ? Est-il heureux de tourner en rond entre des parois de plastique, de grignoter des algues sur des galets turquoise, et d'explorer le petit coffre de pirates dont le couvercle laisse échapper des bulles d'air ? J'adore les scalaires, depuis que j'ai découvert leur existence dans la collection du *National Geographics* que des missionnaires ont donnée à mon lycée.

— Désolé de t'avoir fait attendre, s'excuse M. Bateman.

Je me lève précipitamment.

— Reste assise, je t'en prie ! me dit-il en souriant.

Nous nous serrons la main et je me rassois sur la chaise pliante. Il s'installe en face de moi, dans un vieux fauteuil en cuir. Il y a un accroc sur l'accoudoir, et M. Bateman joue avec le rembourrage gris qui s'en échappe.

— On attend ton père ?

— Non. Mon beau-père travaille.

C'est un mensonge. Mon beau-père est ivre mort au shebeen[1] du quartier.

---

1. Shebeen : une sorte de gargote à ciel ouvert, où l'on vend clandestinement des boissons alcoolisées.

— On attend ta mère, alors ?

— Elle ne peut pas venir non plus. Elle est très malade.

Ça, c'est presque la vérité. Maman est à la maison ; recroquevillée par terre, elle berce ma sœur. Quand je lui ai rappelé qu'on devait trouver un dépôt mortuaire, elle a continué de la bercer.

— Vas-y, toi, m'a-t-elle chuchoté. Tu as seize ans. Je suis sûre que tu sauras quoi faire. Il faut que je reste avec ma Sara.

M. Bateman s'éclaircit la gorge :

— Peut-être une tante ? Ou un oncle ?

— Non.

— Ah !

Sa bouche s'entrouvre et se referme. Il a la peau pâle, qui pèle par endroits. Il me fait penser à un de ses poissons.

— Ah, répète-t-il. On t'a envoyée t'occuper de ça toute seule...

Je hoche la tête et je fixe la petite brûlure de cigarette sur le revers de son veston.

— J'ai seize ans.

— Ah.

Il marque une pause.

— Et ta sœur, elle avait quel âge ?

— Sara a un an et demi. Avait un an et demi.

— Un an et demi. Mince ! Les petits enfants, ça fait toujours un choc...

Un choc ? C'est peu de le dire ! Sara était vivante il y a deux heures. Elle a pleuré toute la nuit à cause de ses démangeaisons. Maman l'a bercée jusqu'à l'aube, jusqu'à ce qu'elle arrête de gémir. Au début, on l'a crue endormie – mon Dieu, pardonne-moi de m'être fâchée contre elle hier soir. Je ne pensais pas ce que j'ai demandé dans ma prière. Je t'en prie, fais que ce ne soit pas ma faute !

Je baisse les yeux.

M. Bateman rompt le silence :

– Tu ne regretteras pas d'avoir choisi « Lumière Éternelle ». Nous sommes plus que des pompes funèbres. Nous nous chargeons de l'embaumement, nous fournissons un corbillard, deux couronnes, une petite chapelle, des faire-part de décès et une parution dans la page nécrologique du journal.

Je devine que ses paroles sont destinées à me réconforter. C'est peine perdue.

– Combien ça va coûter ?

– Ça dépend, dit M. Bateman. Quel genre d'enterrement voudrais-tu ?

– Euh... Quelque chose de simple.

– C'est un bon choix.

Je hoche la tête. Il doit bien voir que je ne peux pas payer grand-chose. J'ai acheté ma robe au fripier du bazar, je suis couverte de poussière et en nage parce que je suis venue à vélo.

— Tu veux commencer par choisir un cercueil ? me demande-t-il.

— Oui, s'il vous plaît.

M. Bateman me conduit dans son *showroom*. Les cercueils les plus chers sont devant, mais il ne veut pas m'offenser en me pressant. Du coup, j'ai droit à la visite complète :

— Nous avons toute une gamme de produits en stock. Les modèles sont en pin et en acajou, et sont équipés de différentes poignées et barres en cuivre. Nous proposons des coins biseautés, ou entiers. Quant aux doublures, elles sont en soie, en satin ou en polyester, la couleur étant au choix. Les taies d'oreiller sont standard, mais nous pouvons y coudre gratuitement un ruban.

M. Bateman s'anime à mesure qu'il parle ; il frotte légèrement chaque modèle avec son mouchoir et me décrit les deux types de cercueil, ceux au couvercle plat et ceux au couvercle bombé. Il n'y a pas une grande différence : au final, ça reste des boîtes.

J'ai un peu peur. On est presque arrivés au fond de la salle d'exposition, et, à en croire les étiquettes, les prix des cercueils correspondent toujours à un an de salaire moyen. Mon beau-père vit de petits boulots, ma mère élève quelques poules et fait pousser des légumes, ma sœur a cinq ans et demi, mon frère en a quatre et je suis au lycée. Où va-t-on trouver l'argent ?

M. Bateman remarque mon expression :

— Pour les enfants, nous avons des choses moins coûteuses.

Il me conduit dans une réserve, tire un rideau et allume une ampoule électrique. Tout autour de moi, empilés jusqu'au plafond, je découvre de minuscules cercueils blanchis à la chaux, et peints à la bombe d'éclaboussures jaunes, roses ou bleues.

M. Bateman en ouvre un. Il est fait de panneaux de bois aggloméré, assemblés par des clous. La doublure est une feuille de plastique agrafée. Des poignées en étain sont collées à l'extérieur, et je suis prête à parier qu'elles tomberont si on essaie de les utiliser.

Je détourne le regard. M. Bateman tente de me rassurer :

— On enveloppe les enfants dans un magnifique linceul blanc et on fait bouffer le tissu par-dessus les côtés de la boîte. On ne voit plus que le petit visage. Sara sera très jolie.

Il me reconduit, hébétée, à la chambre froide où ils garderont Sara jusqu'à ce qu'elle soit prête. Il me désigne une rangée d'énormes meubles à tiroirs.

— Ils sont d'une propreté impeccable et entièrement réfrigérés, m'explique-t-il. Sara aura son propre compartiment, sauf si on m'amène d'autres enfants, bien sûr. Dans ce cas, elle devra partager.

Nous retournons au bureau et M. Bateman me tend un contrat.

— Si l'argent est disponible, je viens chercher le corps à une heure. Sara sera prête mercredi après-midi. Je programme l'enterrement pour jeudi matin.

Ma gorge se serre.

— Maman voudrait qu'on attende le week-end. On a de la famille à la campagne, il leur faut du temps...

— Je crains qu'il n'y ait pas de réductions les week-ends, me coupe M. Bateman en s'allumant une cigarette.

— Alors, peut-être lundi prochain, dans une semaine ?

— Impossible ! Je croulerai sous les nouveaux clients. Je suis désolé : il y a tellement de morts, en ce moment. Ce n'est pas moi qui décide, c'est le marché.

2

Je signe le contrat et je me précipite dehors. En me frayant un chemin, à bicyclette, dans les embouteillages du matin, je me récite l'alphabet en boucle pour me vider la tête. En vain : je continue de voir le cercueil rose en bois aggloméré, avec ses agrafes et sa doublure en plastique.

« Esther ! Il faut que je trouve Esther ! »

Esther est ma meilleure amie ; elle me prendra dans ses bras et me réconfortera.

Je tourne à gauche. Avec un peu de chance, elle sera tout près, à l'hôtel de la Liberté, qui sert aussi de palais des congrès. Depuis que ses parents sont morts, Esther ne va presque plus à l'école. Quand elle ne travaille pas pour son oncle et sa tante — c'est-à-dire rarement —, elle pose pour les touristes devant la fontaine de l'hôtel, une réplique de la statue de la Liberté.

Je m'arrête dans l'allée circulaire, déjà encombrée d'autobus, de limousines et de taxis. Des grooms transportent les bagages de touristes en partance pour des safaris ; des chauffeurs ouvrent des portières à des hommes d'affaires étrangers venus visiter les mines de diamants ; des employés des Nations Unies sautent dans des taxis pour se rendre au siège du gouvernement. Esther n'est pas là.

« Ils l'ont peut-être chassée », me dis-je. Lorsque Esther est flanquée à la porte, elle descend la rue jusqu'au centre commercial du Red Fishtail. Elle flâne devant le magasin d'électroménager de M. Mpho, scrute le mur de télévisions qui orne sa vitrine ou écoute la musique qui se déverse des haut-parleurs installés à l'extérieur.

Une vingtaine de minutes plus tard, quand les vigiles de la Liberté sont occupés ailleurs, elle remonte à l'hôtel d'un pas nonchalant.

Je passe en trombe devant une enfilade de bureaux et de casinos tout neufs, et je tourne dans le parking du centre commercial. Je slalome entre les Caddies et les voitures, en longeant de jolis magasins qui vendent des appareils électroménagers et des équipements pour salles de bains. Ce doit être agréable d'avoir l'électricité... sans parler de l'eau courante.

Aujourd'hui, devant chez M. Mpho, il n'y a que Simon, le mendiant cul-de-jatte. Une sébile et un vieux skateboard sont posés près de lui. Les yeux mi-clos, il bat la mesure en se cognant la tête contre le rebord de ciment de la vitrine.

Je jette un coup d'œil dans le cybercafé voisin. La semaine dernière, j'ai aperçu Esther penchée sur un clavier. J'ai d'abord cru que j'avais des hallucinations ; mais non, c'était bien elle, avec ses tongs orange vif et son dos-nu à paillettes acheté au fripier. Elle faisait des bulles de chewing-gum en cliquant sur la souris.

« Qu'est-ce que tu fabriques ici ? me suis-je étonnée.

— Je lis mes e-mails », m'a-t-elle répondu d'un ton suffisant.

Je lui ai ri au nez. Il y a un ordinateur au secrétariat du lycée, et on nous a tous emmenés voir comment il fonctionnait. Pourtant, l'idée d'en utiliser un dans la vraie vie me paraît aussi bizarre que d'aller sur Mars.

Esther m'a tapoté la main comme si j'étais un bébé et m'a donné son adresse e-mail : « esthermacholo@hotmail.com ». À voix basse, elle m'a confié que le propriétaire du cybercafé lui permettait d'aller sur Internet gratuitement, parce qu'il l'aimait bien. Elle m'a fait un clin d'œil et m'a montré sa collection de cartes de visite :

« Les touristes qui me prennent en photo me les ont laissées, a-t-elle fanfaronné. Quand je m'ennuie, je leur envoie des e-mails. Quelquefois, ils me répondent. Si leurs amis viennent en ville, par exemple.

« — Si leurs *amis* viennent en ville.

— Oui, et alors, où est le mal ?

— Devine !

— Je ne vais pas dans leurs chambres, ni rien ! Je pose seulement devant la fontaine et ils me photographient.

— Oui, pour l'instant...

— C'est-à-dire ?

— Allez, ne fais pas l'innocente ! Je les ai vus poser un genou par terre pour regarder sous ta jupe. »

Esther a roulé les yeux :

« Ils posent un genou par terre, sinon le haut de la statue ne rentre pas dans la photo. Tu vois le mal partout, tu es pire que ma tante !

— Je ne suis pas la seule, me suis-je défendue. Au lycée aussi, certains parlent...

— Laisse-les parler.

— Écoute, Esther...

— Non ! Toi, écoute, Chanda ! a-t-elle fait sèchement. Tu veux peut-être rester coincée à Bonang et avoir des enfants... Moi, non ! Je veux partir d'ici. Je veux aller en Amérique, ou en Australie... ou en Europe.

— Ah oui ? Et comment ? Tu crois qu'un touriste va te mettre dans sa valise ?

— Non.

— Alors, quoi ? Qu'il va t'épouser ?

— Peut-être. Ou m'engager comme nounou. »

J'ai grogné.

« Pourquoi pas ? a-t-elle insisté.

— Parce que. Voilà pourquoi. »

Esther m'a jeté un regard assassin. Abandonnant l'ordinateur, elle est sortie en courant et a traversé le parking au pas de charge. Je me suis élancée à sa poursuite.

« Esther ! ai-je crié. Arrête ! Je ne voulais pas dire ça. Je suis désolée. »

Je n'étais pas désolée, mais j'ai horreur de me disputer avec elle. Je l'ai rattrapée près d'un Caddie abandonné. Elle a empoigné la barre et a fixé une publicité oubliée dans le panier.

« Je sais que je délire, m'a-t-elle avoué. Seulement, quelquefois, ça me fait du bien de rêver, d'accord ? »

Aujourd'hui, Esther n'est pas au cybercafé. Elle n'est pas non plus dans le centre commercial. Peut-être que sa tante l'a envoyée faire une course. Peut-être qu'elle est au lycée, pour une fois. Ou peut-être qu'elle a rencontré un touriste, et que...

J'enfourche ma bicyclette et je pédale à toute vitesse : ABCDEFGHIJKLMNOP...

3

Nous n'avons pas toujours vécu dans un bidonville à Bonang.

Quand j'étais petite, on habitait dans la ferme de papa, une étendue de pâturages près du village de Tiro, à environ trois cents kilomètres au nord. Je partageais une case de terre battue d'une seule pièce avec maman, papa, ma sœur et mes trois frères aînés. (J'avais eu deux autres sœurs, mais elles étaient mortes avant ma naissance. La première empoisonnée par de l'eau, l'autre emportée par la gangrène.) Mes tantes, mes oncles et mes cousins aussi avaient des cases dans l'enceinte de la ferme. Et même ma grand-mère y avait habité, au début. Ce n'est qu'après la mort de mon grand-père qu'elle s'était installée au village, avec deux de ses filles célibataires.

À la ferme, on vivait au ralenti. L'hiver, les rivières s'asséchaient et les nids des moineaux pendaient aux acacias comme des pommes de paille. Toutes les plantes se flétrissaient, et, s'il n'y avait eu les mopanes[1] et quelques ébéniers[2], on se serait cru dans le désert. Mes cousins et moi, on passait nos journées à aider nos mères à rapporter de l'eau du puits, ou à surveiller les troupeaux avec nos pères.

Je me rappelle aussi, l'été, quand il pleuvait. Les rivières grossissaient et, en une nuit, les herbes et les roseaux sortaient de terre pour pousser plus haut que nos têtes. Le bétail paissait sans surveillance, pendant qu'on jouait à cache-cache. Les bêtes savaient toujours quand l'heure était venue de rentrer dans l'enclos, et elles connaissaient le chemin. Nous, les enfants, nous n'avions pas cette chance. Pour ne pas nous perdre dans les hautes herbes, on avait appris à reconnaître les cimes des arbres à des kilomètres à la ronde ; ils nous servaient de panneaux indicateurs.

J'étais petite, alors je n'ai pas bien compris comment la querelle a éclaté. Je savais simplement que papa était le dernier-né de la famille, et qu'il s'était disputé avec

---

1. Mopane : arbre typique d'Afrique australe, aussi appelé « arbre papillon » à cause de la forme de ses feuilles. Son bois très dense et imputrescible est utilisé pour la fabrication des huttes.

2. Ébénier : arbre originaire d'Afrique et d'Asie équatoriale, au bois noir très dur et très lourd.

mes oncles au sujet de notre part de la récolte. Résultat, quand la mine de diamants de Bonang s'est développée, papa s'y est fait embaucher, et nous sommes tous partis pour le sud, à part ma sœur aînée, Lily, qui a épousé son petit ami et est allée vivre dans la ferme voisine.

Au début, j'avais le mal du pays. Je regrettais de ne plus pouvoir jouer avec mes cousins. La campagne me manquait, et le ciel surtout : le soleil qui devient énorme juste avant de se coucher, et se coule derrière l'horizon comme une orange incandescente ; la voûte scintillante des étoiles... À Bonang, le ciel est limité, et les lumières de la mine, ajoutées à celles des rues du centre-ville, privent la nuit de sa magie.

Pourtant, la ville présentait de nombreux avantages. On vivait dans une nouvelle maison, faite de parpaings plutôt que de terre battue ; dans chaque rue, une fontaine distribuait de l'eau fraîche. Il y avait aussi un hôpital, pour le cas où nous serions tombés malades, et papa affirmait que, grâce aux cartes d'alimentation de sa société, nous ne souffririons jamais de la faim. Ce qui comptait le plus pour moi, c'était que j'échappais à la surveillance de mes oncles et tantes. Et, si mes cousins me manquaient, je m'étais tout de même liée d'amitié avec les enfants des autres mineurs.

Esther, par exemple. Le jour de mon arrivée, j'étais assise dans la cour, devant chez nous. Je me sentais seule et je rêvais de m'enfuir pour retourner à Tiro. Esther est arrivée en sautillant. Elle avait dans les cheveux les plus gros peignes que j'avais jamais vus.

— Salut, m'a-t-elle lancé. Je m'appelle Esther. J'ai six ans.

— Salut. Moi, c'est Chanda. J'ai six ans aussi.

— Hourra ! Alors, on est des jumelles. J'habite ici depuis toujours. Regarde comment je fais la toupie.

Elle s'est mise à tournoyer sur elle-même en décrivant des cercles, et elle a fini par tomber.

— Tu sais quoi ? Mon papa est contremaître. On a des toilettes avec une chasse d'eau. Tu veux les voir ?

Elle m'a saisi la main et m'a entraînée dans la rue, jusque chez elle. Sa mère écossait des petits pois sur le seuil.

— Maman, c'est Chanda. Je lui montre nos toilettes ! a annoncé Esther en me poussant dans la maison sans me laisser le temps de dire bonjour.

Une fois sur place, j'ai mis longtemps à réaliser que je regardais des toilettes. Pour moi, ça ressemblait davantage à un saladier élégant.

— Regarde ça ! a triomphé Esther en tirant d'un coup sec sur une chaîne.

Son geste a déclenché un grondement, comme si elle avait ouvert le passage à une énorme chute d'eau. J'ai hurlé. Esther a pouffé de rire :

— Quand les garçons m'embêtent, je les menace de les enfermer dans mes toilettes et de les chasser dans la rivière avec les crocodiles !

— Je peux essayer ?

Elle a hoché la tête.

— D'accord, mais après il faudra vite se sauver : maman va se fâcher, parce qu'on aura gâché de l'eau.

J'ai tiré la chaîne, la chute d'eau a grondé, et nous sommes sorties par la porte de derrière au moment où la mère d'Esther arrivait dans le couloir en criant :

— Assez tiré la chasse d'eau, Esther ! Ce n'est pas un jouet.

Quelques maisons plus loin, nous nous sommes écroulées de rire. J'ai repris mon souffle la première :

— Je trouvais ma maison formidable, avec son rebord en ciment où l'on peut s'asseoir, mais tes toilettes... elles sont magiques ! Tu ne devineras jamais où je faisais pipi, à la ferme.

— Où ça ? a demandé Esther, les yeux pétillants.

J'ai fait une affreuse grimace, pour être sûre de mon effet :

— Dans une petite cabane en roseaux. Toutes les femmes devaient s'accroupir au-dessus d'un trou dans le sol.

— Beurk ! a couiné Esther, enchantée. Et les hommes ?

— Ils faisaient pipi sur les murs !

— Beurk ! Beurk ! Beurk ! a-t-elle glapi.

— Ils étaient obligés ! S'il y avait trop de liquide dans le trou, les bords s'affaissaient.

— Et on risquait de tomber dedans ?

— Et même de se noyer !

— BEEEUURK !!! avons-nous lâché en chœur, en hurlant de rire, les yeux exorbités.

J'ai tenté de lui expliquer que, quand la cabane de roseaux sentait trop mauvais, on la démolissait pour en construire une autre ; cependant, je ne pouvais dépasser le mot « mauvais » sans provoquer une nouvelle crise de fou rire.

Esther et moi allions dans la même école. Ce n'était pas comme l'école de la ferme, où mes tantes m'apprenaient à coudre à l'ombre d'un arbre. Et elle n'avait rien à voir non plus avec celle du village, où le maître utilisait des crottes de hyènes séchées pour écrire sur le tableau noir quand il était à court de craie. Dans ma nouvelle école, il y avait une bibliothèque, un laboratoire de sciences, des outils de géométrie, une encyclopédie, et des taille-crayons qui fonctionnaient.

Certains de mes professeurs avaient étudié à l'université locale ; les autres venaient d'Amérique du Nord, après avoir obtenu un visa de deux ans. Je buvais leurs paroles, comme dirait M. Selamame. M. Selamame est mon professeur d'anglais cette année, et mon préféré d'entre tous. Pour me taquiner, Esther me dit que je suis amoureuse de lui. C'est archifaux.

La vérité, c'est que certains professeurs s'énervent quand je leur pose des questions compliquées. M. Selamame, jamais. S'il ne connaît pas la réponse, il me fait un clin d'œil en me disant qu'il me répondra plus tard. Et il tient sa promesse. Non seulement il me répond, mais il me prête des livres susceptibles de me plaire. Des romans de Thomas Mofolo[1], de Noni Jabavu[2] ou de Gaele Sobott-Mogwe[3]. Je les lis le plus vite possible, afin qu'il m'en prête d'autres. M. Selamame affirme que, si je continue de bien travailler, je décrocherai sans mal une bourse pour aller étudier à l'étranger. À voir comment ses yeux s'allument, je pense qu'il est sincère.

« Bien sûr qu'il est sincère ! s'écrie maman quand je lui rapporte les paroles de mon professeur. On peut faire n'importe quoi, pourvu qu'on l'ait décidé. »

Maman et M. Selamame croient tellement en moi que j'en ai la chair de poule. J'espère que je ne les décevrai

---

1. Thomas Mofolo : célèbre romancier sud-africain (1877-1948).

2. Noni Jabavu : née en 1919, elle a écrit en anglais de nombreux récits autobiographiques sur la vie des communautés noires.

3. Gaele Sobott-Mogwe : auteur de livres pour enfants originaire d'Australie. Elle vit au Botswana depuis 1978.

pas. Ce qu'ils me promettent me paraît impossible, mais... s'ils avaient raison ? Si je pouvais obtenir une bourse ? Voir le monde ! Devenir docteur, avocate, professeur ? Des rêves, des rêves, des rêves.

Mes frères riraient s'ils m'entendaient.

« Ne te fais pas trop d'illusions, me diraient-ils. Les bourses et les bons métiers sont réservés aux riches. »

Mes frères ont arrêté l'école très tôt pour aller travailler à la mine avec papa. Chaque jour, un bus les conduisait au travail à l'aube, et les ramenait à la maison à la nuit tombée, ou le contraire. Ils avaient un jour de congé par semaine.

Les mineurs souffrent souvent de maladies des poumons, mais papa et mes frères n'ont pas vécu assez vieux pour tomber malades. Un peu avant mes dix ans, la galerie où ils travaillaient s'est effondrée et ils sont morts, avec une trentaine d'autres mineurs. Le bruit a couru qu'ils avaient suffoqué pendant des heures, parce que l'équipement de sécurité de la mine était hors service. J'ai fait des tas de cauchemars, dans lesquels je les voyais mourir étouffés, jusqu'à ce que papa m'apparaisse en rêve et me dise qu'ils étaient morts dans l'explosion : « C'était si rapide qu'on n'a rien senti. » J'aurais voulu lui parler plus longuement. Hélas, je me suis réveillée, et il n'est jamais revenu.

Une semaine après l'enterrement, un employé de la mine est passé chez nous. Maman étendait le linge. En général, elle nettoie une chaise en plastique, qu'elle offre aux visiteurs. Pas à lui. Elle est restée plantée, immobile, les mains sur les hanches.

L'homme s'est balancé d'un pied sur l'autre : « La société vous présente ses condoléances, Mme Kabelo. »

Maman a continué de le fixer sans un mot.

« Rien ne remplacera jamais votre mari et vos fils..., a repris l'homme. Cependant, la société voudrait vous offrir cette petite somme d'argent, afin de vous dépanner. »

Il lui a tendu une enveloppe. Maman la lui a jetée à la tête : « C'est l'argent du sang ! s'est-elle exclamée. Vous avez tué mon homme ! Vous avez tué mes enfants ! Sortez de chez moi, espèce de fils de p... ! »

L'homme a regagné sa voiture à toute vitesse. Avant de démarrer, il nous a crié que notre maison était la propriété de son entreprise, et que seuls les mineurs pouvaient y habiter. Comme papa et mes frères étaient morts, on devrait partir, ou bien payer un loyer. Maman lui a lancé des pierres.

Le lendemain, nos cartes d'alimentation nous ont été retirées, et on nous a ordonné de payer le loyer, faute de quoi nos affaires seraient saisies. Ni papa ni mes frères n'avaient économisé un sou. Ils n'avaient pas non plus pris d'assurance, ni fait de testament, sous prétexte que ça portait malheur. Alors on a dû utiliser l'argent du sang, et il n'y en avait pas beaucoup. J'étais convaincue qu'on ne tarderait pas à rentrer à Tiro.

« Non ! a dit maman. Plutôt mourir que d'y retourner !

— Pourquoi ?

— Parce que.

— On pourrait vivre dans la ferme de papa. Ou au village, avec Grand-mère Kabelo. Ou chez Grand-mère et Grand-père Thela. Ou avec Lily. Son mari serait d'accord, n'est-ce pas ? On ne la voit presque jamais, et elle n'a qu'un bébé, il y aurait plein de place.

— Chanda ! a-t-elle fait brusquement, il y a des choses que tu ne comprends pas !

— Quoi ?

— Je te le dirai quand tu seras grande.

— Mais j'ai besoin de savoir maintenant ! Où est-ce qu'on va vivre ? Comment on va manger ? »

Maman m'a serrée contre elle et m'a embrassée sur le front. Puis, contre toute attente, elle a éclaté de rire. Était-ce pour me réconforter, ou parce que j'avais l'air très sérieuse, ou parce qu'elle ne savait pas quoi faire d'autre ? Une chose est sûre : après avoir ri, elle m'a prise de nouveau dans ses bras. « Ne t'inquiète pas : je vais trouver une solution. »

Et elle a fermé les yeux.

Je n'ai pas bougé ; je réfléchissais à toute vitesse. Pourquoi maman ne voulait-elle pas retourner à Tiro ? Quel terrible secret avait-elle peur de me confier ?

4

Quand tout l'argent du sang a été dépensé, nous n'avions plus de quoi acheter de la viande, ni des œufs, alors nous nous sommes contentées de soupe et de pain. Bientôt, nous avons dû renoncer aussi au pain. C'est à ce moment-là que maman m'a appris qu'on lui avait proposé un travail. Il s'agissait de faire le ménage pour Isaac Pheto, qui avait laissé sa femme et ses enfants au village, à des centaines de kilomètres de Bonang, pour venir travailler à la mine. Il leur envoyait de l'argent le jour de la paie.

La maison d'Isaac ressemblait à celle de tous les autres mineurs, avec ses deux pièces, dont un séjour équipé d'une petite cuisine et une chambre. Il nous a autorisées à dormir gratuitement sur un vieux matelas dans le séjour, et m'a proposé de l'appeler Isaac.

Chez lui, c'était un vrai taudis — même les murs étaient crasseux —, pourtant maman n'a pas tardé à en faire un lieu accueillant. Elle a fabriqué des rideaux avec du tissu jaune et bleu acheté à un marchand ambulant, et elle laissait tremper ses vêtements de travail dans une bassine, dehors, jusqu'à ce qu'ils sentent l'herbe fraîche.

On aurait dit que nos prières avaient été exaucées. Mais, une nuit, je me suis réveillée, et je me suis aperçue que maman n'était plus à côté de moi. J'ai d'abord cru qu'elle était sortie de la maison pour aller aux toilettes, puis je l'ai entendue chuchoter dans la chambre d'Isaac : « Doucement, elle va nous entendre. »

Quand elle est revenue en catimini se coucher près de moi, j'ai fait semblant de dormir.

— Est-ce que tu penses encore à papa ? lui ai-je demandé le lendemain matin, tandis qu'elle balayait le sol devant la maison.

Ses épaules se sont affaissées :

— Tout le temps.

Et elle s'est remise à balayer.

Maman savait que je savais, mais nous n'en avons jamais parlé. Pendant une semaine, on a fait comme si de rien n'était. Jusqu'au jour où, réveillée avant l'aube, je me suis assise dans un coin de la pièce. Lorsqu'elle est sortie de la chambre sur la pointe des pieds, j'ai allumé une bougie. Elle n'a rien dit, et moi non plus. En revanche, à partir du lendemain soir, après m'avoir bordée dans mon lit, elle est allée directement dans la chambre d'Isaac. Un an après, Iris naissait. Ma première demi-sœur.

Pour le baptême d'Iris, la cérémonie a commencé à dix heures le dimanche matin et s'est poursuivie jusqu'à quatre heures de l'après-midi. Puis nous avons organisé une fête pour les voisins, qui a duré jusque tard dans la nuit. Il n'y avait pas l'électricité dans notre rue, alors on a allumé un feu dans la cour, et planté des torches dans le sol. Les voisins ont frappé dans leurs mains, dansé et chanté, et maman leur a raconté des histoires à pleurer de rire. J'aurais bien voulu veiller avec eux, mais je n'avais que onze ans, et je me suis endormie vers minuit.

Quand je me suis réveillée, j'étais allongée sur mon matelas, dans le noir. Quelqu'un me touchait partout.

— Qui c'est ?

— Détends-toi, m'a chuchoté Isaac. Ce n'est que moi.

— Qu'est-ce que tu fais ? ai-je chuchoté à mon tour.

— Je te borde.

— Ce n'est pas comme ça que fait maman.

— Je ne suis pas ta maman. Ni ton papa. C'est pour-quoi c'est différent.

Je ne savais pas comment réagir, alors je me suis figée.

— Tu es une bonne fille, a-t-il dit. Gentille et discrète.

La porte s'est ouverte.

— Isaac ?

C'était maman.

— Lilian !

Il a fait un bond en arrière.

— Chut ! Je mets Chanda au lit. La pauvre petite, elle dort à poings fermés.

— Ah, a murmuré maman. Dépêche-toi ! On t'attend dehors pour trinquer.

— J'arrive.

Isaac l'a suivie. Sur le seuil, il s'est tourné vers moi et m'a adressé un clin d'œil :

— Fais de beaux rêves.

Presque aussitôt après, j'ai arrêté de manger. Au début, maman a cru que j'avais mal au ventre, puis elle s'est inquiétée :

— Qu'est-ce qui ne va pas ?

— Rien.

En réalité, rien n'allait. Depuis la nuit de la fête, Isaac était sans cesse après moi. Même en pleine nuit, alors que maman était dans la pièce à côté. Et pendant la journée, aussi. Quand maman allait chercher de l'eau, il me disait : « Assieds-toi sur mes genoux. » Ça commençait toujours pareil. Je proposais à maman de l'accompagner à la fontaine, mais elle refusait, disant qu'elle préférait que j'épluche les carottes ou que je surveille le bébé.

J'aurais hurlé la vérité si je n'avais eu peur qu'il nie, qu'il me traite de menteuse et qu'il veuille se venger. Ou pire : si maman me croyait, elle voudrait partir, on se retrouverait à la rue sans rien à manger et ce serait ma faute. En tout cas, c'est ce que je pensais.

Finalement, ça s'est passé autrement. Un après-midi, maman est revenue de la fontaine plus tôt que prévu et a surpris Isaac le pantalon sur les pieds.

— Tu n'es pas un homme, tu es un monstre ! a-t-elle crié.

Elle lui a jeté l'eau à la tête et a tenté de l'assommer avec le seau. Il l'a envoyée valser de l'autre côté de la pièce.

— Va donc faire le trottoir avec ta salope de fille ! a-t-il beuglé, assez fort pour que les voisins l'entendent.

Ensuite, il a pris nos vêtements et les a lancés par la fenêtre. Maman les a ramassés et les a fourrés dans deux sacs en plastique. Puis elle a installé Iris à cheval sur son épaule, a saisi les sacs dans une main et ma main dans l'autre.

— Sois maudit, Isaac Pheto ! lui a-t-elle craché au visage. Je maudis ton nom et celui de tes ancêtres !

Les voisines écoutaient la dispute depuis leurs maisons ; certains hommes étaient sortis pour assister au spectacle. Maman les a fusillés du regard :

— J'aimerais bien savoir ce que vous regardez là, messieurs ?

Elle a levé le menton, et m'a entraînée derrière elle. Au moment où l'on tournait le coin de la rue, j'ai senti les larmes me monter aux yeux.

— Ne pleure pas devant eux, Chanda, m'a murmuré calmement maman. Ne leur fais jamais ce plaisir.

Mme Tafa nous a recueillies. Papa et son premier mari travaillaient dans la même équipe à la mine, et ils étaient morts tous les deux dans l'accident. Contrairement à maman, Mme Tafa avait eu de la chance : son beau-frère l'avait épousée aussitôt après l'enterrement. Il travaillait comme maçon pour la United Construction Company. Pendant ses congés, il avait construit plusieurs dépendances en parpaings au fond de son jardin, qu'il louait. On n'avait plus d'argent, alors Mme Tafa nous a proposé d'occuper une des dépendances vacantes, jusqu'à ce qu'elle trouve un vrai locataire.

— Merci, a dit maman. On ne demande pas la charité. En échange, on fera ton jardin, tes corvées ou tes courses.

Mme Tafa a accepté.

Le soir même, en rentrant du travail, M. Tafa a conduit maman chez Isaac Pheto en voiture, pour prendre le reste de nos affaires. On avait laissé des casseroles, des poêles, un peu de linge et les jouets d'Iris. Mais maman voulait surtout récupérer les souvenirs de papa et de mes frères : leurs faire-part de funérailles et la carabine de chasse de papa.

— Isaac Pheto faisait moins le malin devant ton mari, a-t-elle confié à Mme Tafa. Il s'est caché dans un coin et j'ai pu emporter ce que j'étais venue chercher.

M. et Mme Tafa n'avaient pas d'enfant ensemble ; en revanche, ils en avaient chacun de leurs premiers mariages. Le seul qui vivait encore chez eux était le fils de Mme Tafa, Emmanuel. Il était plus vieux que moi et très intelligent, mais je le voyais à peine parce qu'il passait son temps à étudier. Leurs autres enfants étaient tous mariés et venaient avec leur famille à l'occasion des fêtes, des anniversaires ou simplement pour le plaisir.

À chaque fois qu'ils fêtaient quelque chose, les Tafa nous invitaient, maman et moi ; j'ai pris l'habitude de les appeler « Oncle » et « Tatie ».

Le voisin des Tafa, M. Dube, était un vieux coiffeur très gentil. Il avait des dents pourries, et soignait son haleine en se gargarisant avec de la lotion capillaire.

Il coupait les cheveux des gens sous un abri, au bord de la route. Tout le monde venait chez lui, parce qu'il racontait des histoires formidables, affûtait bien ses ciseaux et nettoyait ses peignes. Il avait aussi une série de tondeuses, accrochées à une batterie douze volts, et une radio ; ainsi, ses clients pouvaient danser s'ils s'ennuyaient en attendant leur tour.

M. Dube était un veuf sans enfant qui possédait un toit. Maman était une veuve, mère de deux enfants, qui ne possédait rien du tout... Il s'est empressé de lui faire la cour. Il n'était pas beau, mais il disait le prénom de maman, « Lilian », d'une voix étouffée et pleine de respect, comme s'il s'agissait d'un nom biblique. Et il était propriétaire de sa maison, alors nous n'aurions plus à craindre de nous retrouver à la rue. Maman a accepté de l'épouser.

Après le mariage, il m'a demandé de l'appeler « papa ». J'ai refusé en le remerciant : je ne pouvais pas, à cause du souvenir de mon papa. Il m'a souri gentiment et m'a assuré qu'il comprenait, que « M. Dube », ce serait très bien.

Mon demi-frère Solomon, « Soly », est né un an plus tard. Il était mignon comme tout... Il l'est toujours, d'ailleurs. Quand j'étais à l'école, maman s'occupait d'Iris et de Soly, M. Dube coiffait et amusait ses clients. Le soir, on s'asseyait ensemble dans la cour, on se racontait des histoires et on riait. Maman massait les pieds endoloris de M. Dube, qui câlinait Iris et Soly. Les bras passés autour de mes chevilles, je souriais.

Nous avons vécu heureux ainsi quelque temps. Puis, un soir, M. Dube s'est plaint d'une douleur au ventre. Il s'est allongé et ne s'est jamais relevé. C'était une crise cardiaque. J'ai pleuré pendant des jours et des jours. Pour me consoler, je me disais que M. Dube avait eu de la chance parce qu'il était mort brusquement, sans souffrir. J'aimerais bien mourir comme ça.

Parfois, je me sens coupable de repenser à ses dents pourries. Il a été si bon pour nous. Je regrette aussi de n'avoir jamais pu l'appeler « papa ». Mon vrai papa n'y aurait pas vu d'inconvénient, et M. Dube aurait été tellement ravi... J'espère qu'il savait que je l'aimais.

Maman a hérité de sa maison. Elle s'est mise à cultiver des légumes dans le jardin et à élever quelques poules dans la cour, mais l'argent nous manquait. Les visites de M. Dube chez le docteur et son enterrement avaient mangé presque toutes ses économies et, désormais, maman avait trois enfants à nourrir.

C'est là que Jonah est arrivé... en partie parce que maman avait une maison, et qu'il avait un travail, j'imagine. Par contre, elle a refusé de l'épouser : elle tenait à rester seule propriétaire de la maison de M. Dube pour nous protéger, Iris, Soly et moi, au cas où les choses auraient mal tourné.

Jonah était un collègue de travail de M. Tafa. C'était un fanfaron au grand sourire, qui préparait du béton pour bâtir les centres commerciaux et les immeubles de bureaux, en ville. Du moins, jusqu'à ce qu'il soit fichu à la porte. Jonah était un fêtard, et la société qui l'employait s'est lassée de ne jamais savoir s'il allait venir travailler ou non.

Quand maman était enceinte de Sara, il gagnait encore un peu d'argent en bricolant à droite et à gauche, mais, après la naissance de Sara et les fausses-couches de maman, il s'est contenté d'aller au shebeen, se saouler au shake-shake[1].

C'est là qu'il est, en ce moment, je parie.

---

1. Shake-shake : une boisson alcoolisée proche de la bière, à base de sorgho fermenté.

5

Quand je reviens de « Lumière Éternelle », il est dix heures. Iris et Soly sont dans la cour devant la maison, à l'endroit où je les ai quittés. Maman a dit à Iris qu'elle n'irait pas à l'école aujourd'hui, alors ils devinent qu'il s'est passé quelque chose, mais ils ne savent pas exactement quoi.

Assis près de la porte d'entrée, Soly joue tranquillement avec ses doigts de pieds. Quant à Iris, elle est de mauvaise humeur. Elle arpente la cour, un nuage d'orage au-dessus de la tête. Lorsqu'elle m'aperçoit, elle prend un air arrogant et vient se camper devant moi, les mains sur les hanches :

— Sara dort encore ! Elle a dormi toute la matinée. Va la réveiller !

— Arrête de faire ton petit tyran.

— Je ne suis pas un tyran ! proteste-t-elle en frappant du pied.

— Je parle sérieusement, Iris. Ne fais pas le bébé, ou je te donne une claque.

— Essaie ! me défie-t-elle. J'irai le dire.

Ça ne sert à rien de discuter avec Iris quand elle est dans cet état. Elle est trop intelligente, et quelquefois c'est pénible.

— Pourquoi tu ne vas pas arroser les pois ?

Elle bâille en guise de réponse.

— Parfait, dis-je. Si tu préfères t'ennuyer, c'est ton problème.

Iris soupire :

— Viens, Soly, on va jouer à celui qui fait le plus gros tas de pierres. Mais on n'a le droit de prendre que des pierres de la cour, et on ne peut les attraper qu'avec les coudes.

J'entre dans la maison. On a ouvert les volets pour chasser l'odeur de la mort.

Maman a tressé les cheveux de Sara et l'a allongée sur le matelas qu'elle partage avec Jonah. Elle est lovée à son côté et lui caresse la joue. Je lui apprends que M. Bateman viendra à une heure, sans lui préciser que l'enterrement est prévu pour jeudi.

— M. Bateman nous dit de ne pas nous inquiéter, que la cérémonie sera magnifique.

— Retourne chez M. Bateman et dis-lui de ne pas venir, murmure maman sans lever les yeux. On a volé l'argent qui était dans la cachette.

Maman ne nomme pas le voleur. C'est inutile. Je mens pour la rassurer :

— Personne n'a rien volé, maman. C'est moi qui ai porté l'argent à M. Bateman, pour payer les arrhes.

Maman frissonne :

— Mon Dieu, pardonne-moi! J'ai quelquefois des pensées terribles.

Je l'embrasse sur le front :

— Repose-toi, maintenant. Je reviens tout de suite.

Je file dehors, j'enfourche ma bicyclette et je fonce au shebeen.

Le shebeen appartient aux Sibanda. C'est un vaste débit de boissons à ciel ouvert, entouré par un mur de ciment mesurant presque deux mètres de haut. Le mur, c'est pour que les gens ne puissent pas voir lesquels de leurs voisins s'y trouvent, et à quel point ils sont saouls.

Je pousse la haute porte de bois, mon vélo à la main pour être sûre de ne pas me le faire voler. À ma droite, des hommes jouent aux cartes à l'ombre d'une bâche fixée aux sommets de trois poteaux et d'un arbre mort. À ma gauche, on fait la queue devant une cabane où M. Sibanda vend des cigarettes, du Coca, et des chips de banane.

Mais le clou du spectacle est au fond de la propriété. C'est là que vivent les Sibanda, leurs enfants, gendres, brus et petits-enfants, dans une poignée de cases aussi branlantes que leurs clients. M. Sibanda y prépare son shake-shake, ce qui explique pourquoi ses clients s'y massent, s'y bagarrent et y vomissent, en attendant l'arrivée du prochain baquet de breuvage.

Les baquets de M. Sibanda sont relativement propres, n'empêche que parfois, quand il mélange la préparation, un scarabée mort remonte à la surface. Et, lorsqu'il fait très chaud, ou quand le sorgho a fermenté un peu trop longtemps, quelques gorgées suffisent à vous laisser sur le carreau...

Je perçois un bourdonnement, dont je devine bientôt la cause : deux des fils Sibanda viennent d'apporter un baquet plein. Une de leurs fillettes, armée d'une louche, verse la mixture dans des cartons de jus de fruits récupérés à la décharge et rincés dans un seau d'eau.

En me frayant un chemin dans la foule à la recherche de Jonah, je manque de renverser le petit Paulo Sibanda, âgé de deux ans. Il se promène nu comme un ver, les pieds dans des cartons de jus. Comme ses chaussures improvisées sont trop grandes pour lui, il n'arrête pas de tomber et rit aux éclats.

— Salut, Chanda ! crie-t-on dans mon dos.

Je me retourne et je découvre Mary, adossée à l'un des piliers, qui fait de vagues signes de la main.

— J'ai appris pour Sara... Désolée, mon amie.

À l'entendre, Mary a plein d'amis. Elle connaît tout le monde... Ou, du moins, tout le monde la connaît. Elle était à l'école avec mon frère aîné et, à l'époque, elle était très appréciée. C'était une jolie fille, drôle, qui chantait bien et n'avait pas son pareil pour imiter les gens. Mais, malgré ses talents, elle n'était pas prétentieuse, ni rien. À présent, elle a vingt-cinq ans et quatre enfants, que sa mère élève pour elle. Elle traîne toute la journée de shebeen en shebeen, dans l'espoir de se faire offrir à boire. Elle est toujours coiffée du même bonnet de laine, sous lequel elle dissimule la cicatrice qui lui barre le front. Aujourd'hui, elle porte un pantalon de pyjama pour couvrir ses plaies aux jambes. Au début, quand elle a eu les dents de devant cassées, elle mettait une main devant sa bouche pour parler ; ça fait un moment qu'elle ne se donne plus cette peine.

La rumeur dit que, lorsque Mary est ivre morte, des hommes l'entraînent dans une remise et s'amusent avec elle. L'année dernière, elle a fait une scène mémorable : pendant des heures, elle a arpenté les rues en titubant et frappé chez les gens pour exiger qu'on lui rende sa culotte. Par chance, elle ne se souvient jamais de rien et prend tout à la légère, comme s'il ne s'agissait que d'une vaste plaisanterie. Encore aujourd'hui, quand ils la croisent, quelques-uns lui demandent pour plaisanter si elle a retrouvé son slip. Elle rit avec eux, mais allez savoir ce qu'elle ressent vraiment, au fond...

C'est peut-être ce qui me retient de faire un scandale quand j'aperçois la tête de Jonah reposant sur ses genoux. Mary est la première femme avec qui il a trompé maman, mais ce n'est certainement pas la dernière. En plus, il est tellement saoul qu'il ne pourrait rien faire, même s'il lui en prenait l'envie. Il a le regard mauvais et bat des cils pour éloigner les mouches.

Mary le berce.

— C'est affreux ce qu'il souffre, me dit-elle. Il n'arrête pas de répéter : « Sara, Sara ».

Jonah secoue la tête.

— Sara, fait-il en écho, d'une voix d'outre-tombe.

— Chanda est là, lui dit Mary.

Jonah a l'air désorienté. Ses yeux se révulsent, puis se ferment. Mary me voit fixer une écorchure sanguinolente sur son front.

— Il a pris une pierre et s'est frappé la tête avec pour en faire sortir les démons, murmure-t-elle.

— Il aurait dû frapper plus fort.

Mary n'en croit pas ses oreilles, mais elle finit par rire :

— Je t'aime bien, mon amie, tu as le sens de l'humour.

— Ah bon ?

Je balance un grand coup de pied dans la jambe de Jonah, qui émerge enfin.

— Jonah ! M. Bateman vient chercher Sara à une heure. Tu as compris ?

— Sa-Sara, bafouille-t-il.

— C'est ça ! Sara. À une heure. À la maison. Tu as intérêt à y être.

Jonah acquiesce et perd connaissance. J'en profite pour fouiller ses poches.

— Qu'est-ce que tu fabriques ? s'inquiète Mary.

— Rien.

J'ai trouvé ce que je cherchais : une petite liasse de billets. C'est l'argent de la cachette. Tout y est, ou presque : il ne manque que l'élastique qui les tenait ensemble. Je vais pour partir quand Mary pose la tête de Jonah à côté d'elle et se lève d'un bond.

— Où tu vas avec l'argent de Jonah ? hurle-t-elle.

Au mot « argent », un cercle d'ivrognes se forme autour de nous.

— C'est pour l'enterrement.

— Qui l'a dit ?

Mary manque de tomber en titubant dans ma direction.

— Calme-toi, Mary. Tu n'auras pas besoin de te battre pour boire aujourd'hui. Jonah se fera offrir tous les verres qu'il voudra.

Mary baisse les bras. Elle se dandine d'un pied sur l'autre :

— Tu es une bonne amie, Chanda. Une bonne amie.

— C'est ça. Arrange-toi pour qu'il soit à la maison à une heure.

Je m'éloigne en poussant mon vélo devant moi. Les gens reculent, comme s'ils craignaient que je les bouscule. Ils n'ont pas tort : je ne me gênerais pas.

6

Il m'arrive d'avoir de mauvaises pensées. En ce moment, par exemple. En fouillant dans les poches de Jonah, je ne pouvais m'empêcher de songer : « Jonah, qu'est-ce que tu attends pour mourir ? Ça nous faciliterait tellement la vie ! » Le prêtre prétend que les mauvaises pensées comptent autant que les mauvaises actions, et qu'il faut les confesser aussi. Je les confesse chaque semaine depuis deux ans. Ça devient gênant, à force.

Mais, franchement, pourquoi maman s'est-elle mise avec Jonah ? Pourquoi n'a-t-elle pas choisi un homme comme M. Selamame, mon professeur d'anglais ? Il est drôle, gentil, intelligent. Et séduisant, aussi. Quelquefois, en classe, je m'imagine qu'il est mon père. Ce serait le meilleur papa du monde, à part mon vrai papa, bien sûr.

Je le croise de temps en temps au marché, avec sa famille. Il chuchote à l'oreille de sa femme, et ils gloussent ; on dirait qu'ils partagent des secrets merveilleux. Une fois, je l'ai vu jongler devant un étal avec cinq pommes de terre et un poireau pour amuser ses enfants. Il sait tout faire.

Le prêtre dit que la jalousie aussi est un péché, et j'en ai déjà assez à confesser. Alors, quand je me surprends à penser à la famille de M. Selamame, j'essaie de me rappeler les qualités de Jonah. Je ne l'ai pas toujours détesté. En fait, au début, j'étais même contente que maman l'ait rencontré.

La plupart des hommes ne s'intéressent pas à une femme de quarante ans, mère de trois enfants. Jonah, ça lui était égal. Il est tombé amoureux de maman en dépit de tout, et nous a traités comme ses enfants, Iris, Soly et moi. Quand il s'est installé à la maison, maman s'est remise à chanter — à chanter sans raison apparente. Et, pour la première fois depuis la mort de papa, je l'ai vue danser.

Les jours où il est sobre, Jonah est encore capable de faire rayonner maman. Il la prend dans ses bras et l'aide à régler ses problèmes ; il joue avec Iris et Soly. Il travaille dur, aussi : il entretient la maison, fait des petits boulots, répare et vend des bricoles récupérées à la décharge. Mais, surtout, il fait rire maman. J'adore le rire de maman. Il est gros et fort, comme le rire d'une maman avec une énorme poitrine, des cuisses dodues et un ventre rond, sur lequel les bébés rebondissent.

Avant, maman ressemblait à son rire. Plus maintenant. Elle s'est tellement inquiétée pour Sara qu'elle a perdu beaucoup de poids.

« Il faudrait que je reprenne quelques kilos, remarque-t-elle quand elle se regarde dans un miroir.

— Ne dis pas n'importe quoi, proteste Jonah. Tu es parfaite. »

Ça la fait sourire.

Quand Jonah est venu s'installer à la maison, c'est ce genre de petites attentions qui me l'ont rendu sympathique. Depuis, j'ai changé d'avis. Après les fausses-couches de maman, ses bons jours — ses jours sobres — sont devenus rares. Chaque soir, ou presque, ses amis lui proposent d'aller prendre un verre ; il ne refuse jamais. Un jour, Sara brûlait de fièvre et maman l'a supplié de rester à la maison ; elle a même bloqué la porte d'entrée pour l'empêcher de sortir, mais ses amis ont ri, et Jonah a reproché à maman de lui faire honte. Il a cassé quelques assiettes, histoire de lui montrer qui était le patron, avant de partir se saouler pendant une semaine.

Esther m'a conseillé de regarder plutôt le bon côté des choses : même lorsqu'il est complètement saoul, Jonah ne nous frappe jamais. Et il finit toujours par revenir, la tête basse, en pleurnichant pour se faire pardonner.

« Et alors ? Quand il boit, c'est un autre homme. Il tombe, il pue, et pire : il trompe maman.

— Ne sois pas si naïve, a protesté Esther. Beaucoup d'hommes trompent leur femme. Partout dans le monde.

— Qu'est-ce que tu en sais ? »

Une drôle d'expression est passée dans ses yeux :

« Je le sais, c'est tout. »

Esther peut bien parler comme une adulte, si ça lui chante... N'empêche que je suis sûre d'une chose : maman aurait envoyé n'importe quel autre homme faire ses valises depuis longtemps. Mais, allez savoir pourquoi, Jonah s'en tire toujours.

Le soir où il a cassé des assiettes, je suis devenue folle de rage.

« Qu'est-ce que tu attends pour le jeter dehors ? » ai-je demandé à maman.

Ses yeux ont lancé des éclairs :

« Ne dis plus jamais ça, tu m'entends ? Tu parles du père de Sara. Je veux que tu le respectes !

— Pourquoi ? Il ne nous respecte pas, lui. »

Maman a baissé la voix :

« Je sais que c'est dur, mais tu dois lui pardonner : il souffre.

— Qui ne souffre pas ? »

Maman n'a pas répondu. Elle s'est agenouillée, a ramassé les morceaux d'assiette dans son tablier et a fermé les yeux.

Ces derniers mois, pendant que Jonah était avec ses amis, maman et moi avons veillé chaque nuit pour soulager les démangeaisons de Sara avec des infusions de griffe du diable[1]. Quand j'entendais un ivrogne brailler dehors, je me levais d'un bond, prête à crier. Pas maman. Pas une fois elle n'a levé les yeux.

« Jonah m'a promis d'arrêter de boire, dit-elle. Il le fera, un jour, tu verras. »

Je sais que c'est important, de croire à certaines choses ; mais, quand même, l'amour rend les gens idiots.

---

1. Griffe du diable : une racine aux vertus médicinales, dont la forme évoque des griffes.

7

En revenant du shebeen, je m'arrête chez Mme Tafa, notre voisine. Il faut que je lui demande la permission d'utiliser son téléphone, pour avertir notre famille de la mort de Sara.

Je suis mal à l'aise : depuis quelque temps, je ne m'entends plus très bien avec Mme Tafa. J'ai dit à maman que je voulais arrêter de l'appeler « Tatie », mais maman craint de la vexer.

— Très bien. Alors je ne l'appellerai plus du tout !

Je ne sais pas si c'est moi qui ai changé, ou si c'est elle, ou si je me suis simplement mise à la regarder autrement. Ce que je sais, en revanche, c'est que Mme Tafa aimerait bien diriger le monde. Comme c'est impossible, elle a décidé de commander notre quartier, et ma famille en particulier. Chaque matin, avant que le soleil ne tape trop fort, elle fait la tournée des voisins avec son ombrelle fleurie, un mouchoir de coton assorti coincé dans sa manche. Ça ressemble à une visite de courtoisie, mais en réalité c'est pour expliquer aux gens comment élever leurs enfants ou planter leurs légumes. « Si c'était le mien, dit-elle à une maman dont le bébé fait ses dents, je lui donnerais une carotte à sucer. »

Mme Tafa s'arrange toujours pour terminer sa promenade chez nous. Maman doit alors interrompre son travail pour lui offrir une tasse de thé et un biscuit. Et tout ça parce que Mme Tafa nous a logées quand on était à la rue, parce que papa et son premier mari étaient amis, et parce qu'elle nous a toujours invitées à ses fêtes. J'ai demandé à maman si ça voulait dire qu'on devrait la supporter éternellement. « Chut ! s'est-elle esclaffée. Elle est juste à côté. »

Arrivée chez nous, Mme Tafa s'installe à l'ombre ; elle mange, elle boit, elle se tamponne le front avec son mouchoir, colporte les derniers ragots et se laisse éventer par Iris et Soly.

Par chance, je suis à l'école toute la semaine. Mais, le week-end et pendant les vacances, je suis censée être là... Alors, je m'assieds par terre avec un livre ou je fais mes devoirs. Mme Tafa est si bête que je m'efforce de l'ignorer. Cependant, quand elle évoque le temps où l'on vivait à la mine, je ne peux m'empêcher de tendre l'oreille.

Ses histoires sont souvent drôles. Mme Tafa rappelle à maman le soir où elle a servi à papa trois assiettes de haricots rouges, juste avant son départ pour la mine. « Vingt hommes entassés dans l'ascenseur, rugit-elle, et ton Joshua transformé en usine à gaz ! À quoi tu pensais, ma fille, pour nourrir ton homme de haricots rouges avant le travail ? Mon Meeshak a mis une semaine à s'en remettre ! »

Maman rit si fort que l'air vibre. « En parlant de ton Meeshak, s'exclame-t-elle, tu te souviens de la fois où tu venais de laver par terre, et où il a traversé la pièce avec ses bottes de travail ? Je te reverrai toujours lui courir après dans la rue avec ton balai ! »

Maman et Mme Tafa se rappellent aussi d'autres histoires. Maman raconte que papa faisait des heures supplémentaires pour nous acheter des vêtements neufs, avant qu'on aille rendre visite à notre famille à Tiro : « Joshua nous recommandait de nous tenir bien droits... »

Puis Mme Tafa mentionne les tonnes de tartines qu'il était obligé de faire pour les anniversaires, les fêtes de quartier ou la fête nationale... Sans oublier ses farces et ses victoires aux concours de lutte.

Elles parlent aussi du courage de papa, qui avait aidé Meeshak à sauver une vieille femme prisonnière de l'hôtel de ville en feu. Et de son combat interminable pour créer un syndicat des mineurs : « Les patrons et leurs brutes d'employés auraient été prêts à tuer quelqu'un pour savoir où le syndicat se réunissait. »

Mme Tafa se donne une claque sur la cuisse : « Il faut voir comment ton Joshua les embobinait avec sa façon de parler, qui mélangeait les chansons des villages et des sifflements d'oiseaux. »

J'ai beau connaître toutes ces histoires par cœur, je ne me lasse jamais de les entendre. À chaque fois, c'est comme si papa était de nouveau en vie.

Si seulement Mme Tafa se contentait de raconter des histoires. Hélas, c'est plus fort qu'elle : il faut toujours qu'elle gâche tout. Avant de partir, elle fait son petit tour d'inspection et lâche : « Si tu veux mon avis... » ; ou : « Un conseil d'amie » ; ou : « Ne le prends pas mal, mais... »

Et elle fait un commentaire désagréable sur la tenue vestimentaire de maman, sur son intérieur, ou sur la façon dont elle élève ses enfants.

Maman la fait taire avec un sourire. « S'il te plaît, Rose, dit-elle, on était d'accord pour ne pas en parler...

— J'essaie seulement de te rendre service », proteste Mme Tafa.

Puis elle se soulève péniblement, fait tournoyer son ombrelle et tortille son gros derrière jusqu'au portillon.

Un jour, j'ai demandé à maman pourquoi Mme Tafa était si méchante.

Elle a ri : « Mme Tafa n'est pas méchante, elle est

Mme Tafa. Ne fais pas attention à ce qu'elle dit, ça part d'un bon sentiment. »

« Je suis sûre que les cochons aussi ont de bons sentiments, ai-je songé, mais ce sont quand même des cochons. »

Maman a surpris mon expression. « Garde ta colère pour combattre l'injustice et pardonne le reste, m'a-t-elle chuchoté en me caressant la joue. Rappelle-toi : on a tous nos problèmes. Le problème de Mme Tafa, c'est qu'elle a besoin de se sentir importante. »

Maman est trop gentille. Mme Tafa n'a pas de problème, elle *est* un problème. Elle est tellement orgueilleuse que je l'imagine parfois changée en mont-golfière, qui s'envole sur fond de soleil couchant. Si elle monte jusqu'au paradis, je suis sûre qu'elle expliquera aux anges comment nettoyer leurs nuages. Et, croyez-moi, elle est de pire en pire !

Mme Tafa peut se permettre d'être ainsi parce qu'elle est riche... du moins, pour le quartier. Toutes les dépendances que son mari a construites sont occupées par des locataires, et M. Tafa a été promu chef de chantier chez United Construction. Avec tout l'argent qu'ils ont gagné en plus, ils se sont offert le téléphone, l'électricité et l'eau courante.

Mme Tafa se vante parce que son mari a accès à Internet, grâce à l'ordinateur de sa société. Elle raconte à qui veut l'entendre qu'il correspond par e-mail avec des amis et des parents partis vivre en Amérique du Nord ou en Europe. Et, comme si ça ne suffisait pas, Mme Tafa emploie une femme de ménage une fois par semaine. Elle se plaint de devoir être en permanence sur son dos. En vérité, elle passe son temps assise dans sa chaise longue, à boire de la citronnade. J'espère qu'à force d'en boire, un jour, elle ne pourra plus se relever.

Le prêtre dit que les mauvaises pensées blessent ceux ou celles qui les ont. C'est dur de ne pas penser de mal de quelqu'un de riche qui empoisonne son entourage. Et c'est encore pire quand il s'agit de Mme Tafa.

Lorsque j'entre dans son jardin, Mme Tafa est assise sous un arbre dans sa chaise longue, un oreiller rembourré dans le dos. Une de ses filles lui a déposé ses enfants, qui sont installés à ses pieds et boivent du jus de fruits dans des gobelets en plastique. Les aînés l'éventent avec une tapette à mouches géante. Iris et Soly les regardent à travers la haie de cactus qui sépare nos jardins.

Mme Tafa m'accueille avec un « dumêla[1] ! » tonitruant.

— Dumêla, fais-je à mon tour.

Je salue ses petits-enfants d'un signe de tête :

— Dumêlang.

---

1. Dumêla : « bonjour », quand on s'adresse à une seule personne. On dit « dumêlang », quand on s'adresse à plusieurs.

Mme Tafa ne prend pas la peine de se lever. Elle me désigne le banc en face d'elle.

— Je suis passée chez vous ce matin, mais personne ne m'a ouvert.

— Je suis désolée, dis-je en m'asseyant. Il est arrivé quelque chose de terrible.

— Oui, je sais.

Je ne suis pas étonnée qu'elle soit déjà au courant. Elle a des oreilles d'éléphant. Je regarde sévèrement mes frère et sœur :

— Arrêtez de nous espionner. Allez faire des tas de cailloux !

Après qu'ils se sont éloignés, je chuchote :

— Maman ne veut pas qu'ils sachent.

Mme Tafa hoche la tête en signe d'approbation :

— Elle a raison. Ça ne sert à rien de mêler les petits à ces choses-là.

Elle chasse ses propres petits-enfants.

— Donc... tu veux te servir de mon téléphone.

— Oui, s'il vous plaît, si ça ne vous dérange pas. Je dois prévenir la famille de maman.

— C'est ta mère qui devrait les appeler.

— Elle veut rester avec Sara.

— Je vois.

Une pause. Mme Tafa étire ses bras et fait trembler sa graisse.

— Tout le monde veut utiliser mon téléphone, lâche-t-elle enfin. Si je laisse faire, je n'aurai plus une minute de tranquillité.

Elle penche la tête en arrière et éponge la sueur qui perle sous ses mentons.

— Je sais, dis-je, et je suis désolée de venir vous embêter.

Je respire un grand coup avant de continuer :

— C'est juste que... J'espérais que ça ne vous dérangerait pas... comme vous êtes ma Tatie Rose.

Mme Tafa sourit. Elle aspire le reste de sa citronnade à la paille :

— Qui s'occupe de l'enterrement ?

— M. Bateman.

— Ah.

La façon dont elle a prononcé son « Ah » me donne le sentiment d'être misérable. Je me sens obligée de mentir :

— J'ai essayé les autres, mais ils étaient tous débordés.

— Ne t'excuse pas, dit Mme Tafa, les gens comprendront. D'ailleurs, c'est Bateman qui s'est occupé du fils Moses, et ils n'ont pas eu à s'en plaindre. Quand même, tu aurais pu venir me demander. J'ai des relations.

— Je suis désolée, Tatie.

Je me tortille sur mon banc :

— Euh... et pour le téléphone ?

— Tu veux passer combien d'appels ?

— Un seul. À l'épicier de Tiro. Il transmettra le message à ma grand-mère Thela, qui le dira aux autres.

Mme Tafa suce ses dents :

— Tiro. C'est bien à trois cents kilomètres ? Ça coûte cher.

— Maman vous remboursera.

Mme Tafa agite la main :

— Ne dis pas n'importe quoi ! Je suis ta Tatie. Ça me fait plaisir de vous rendre service.

Elle soulève son derrière de sa chaise et me conduit dans la maison.

Tandis que l'opérateur établit la connexion, je patiente en observant Mme Tafa. Elle époussette l'autel dédié à son dernier fils, Emmanuel. Il y a son certificat de baptême, sa photo de diplôme à l'université, son faire-part de décès et quelques boucles de ses cheveux de bébé. Emmanuel est mort il y a deux ans, victime d'un terrible accident de chasse, quelques semaines seulement après avoir obtenu une bourse pour étudier le droit à Jo'burg[2]. À l'enterrement, son cercueil était fermé. La vie est injuste.

M. Kamwendo, l'épicier, décroche le téléphone. Mme Tafa s'agenouille près de la photographie d'Emmanuel

---

2. Jo'burg : Johannesburg, en argot.

et fait mine de prier. Je ne suis pas dupe : je sais qu'elle m'écoute.

Je dis au commerçant que Sara nous a quittés et que l'enterrement est prévu pour jeudi. M. Kamwendo me promet de faire passer le message à ma grand-mère maternelle et me demande si l'on peut nous joindre à ce numéro. J'interromps la prière de Mme Tafa pour lui poser la question. Elle soupire bruyamment, mais son plaisir se voit comme le nez au milieu de la figure : elle sera la première à apprendre les nouvelles.

Je raccroche. Mme Tafa se relève à grand-peine, me suit dehors et se laisse pesamment retomber dans sa chaise longue.

— Merci encore pour le téléphone, Tatie.

Je tends la joue, et elle me fait une bise. Pendant une demi-seconde, j'essaie de l'aimer.

— Votre pauvre petite Sara ! commence-t-elle d'un ton qui se veut apaisant. Sa mort est une grande tragédie... comme celle de mon Emmanuel. Enfin... Au moins, ils sont morts purs.

Je tressaille :

— Pardon ?

— Ils étaient innocents. Personne ne peut faire circuler de rumeurs sur ce qui a causé leur mort. Personne ne peut nous montrer du doigt et chuchoter dans notre dos.

Elle se tapote le nez :

— Un conseil : fais attention avec ton Esther Macholo, là. Ton amie.

— Qu'est-ce que vous voulez dire ?

— Que ses parents reposent en paix... J'espère qu'elle a brûlé leurs draps et enterré leur vaisselle.

— Comment vous pouvez dire ça ?

— Ne le prends pas mal, mais, à ta place, je tendrais l'oreille.

— Je ne vois pas où est le problème. La mère d'Esther est morte d'un cancer, et son père de la tuberculose. C'est ce qu'on a raconté à l'enterrement.

— Bien sûr. Et je n'ai pas dit autre chose. Ta tatie cherche à te protéger, c'est tout.

Elle me fait un clin d'œil entendu :

— Si tu veux mon avis, il y a ce que les gens ont dit, et ce qu'ils disent ensuite.

— Je ne comprends pas de quoi vous parlez.

— Oh, que si, tu comprends, murmure-t-elle. Oh, que si !

8

Mme Tafa n'a pas tort : je sais parfaitement de quoi elle parle. À peine ouverts, les nouveaux cimetières sont déjà pleins à craquer. Officiellement, les gens meurent de pneumonie, de la tuberculose et du cancer. C'est un mensonge, et tout le monde le sait.

La vraie raison pour laquelle les morts s'amoncellent, c'est autre chose. C'est une maladie trop effrayante pour qu'on ose la nommer à voix haute.

Si le bruit court que vous en êtes atteint, vous risquez de perdre votre emploi. Votre famille peut vous chasser et vous laisser mourir dans la rue, seul. Alors, vous vivez en silence, en vous cachant derrière vos rideaux. Pas seulement pour vous protéger, mais aussi pour protéger ceux que vous aimez, et le nom respectable de vos ancêtres. C'est affreux de mourir, mais c'est encore pire de mourir seul, dans la peur et dans la honte, avec un mensonge sur la conscience.

Heureusement, personne n'a murmuré le mot « sida » quand les parents d'Esther sont tombés malades. Son papa avait une mauvaise toux, et sa maman des ecchymoses. Tout a commencé aussi simplement que ça.

Au début, le bleu de Mme Macholo était si petit qu'on le remarquait à peine. Il m'a fallu des mois pour m'apercevoir qu'il ne disparaissait pas. Au contraire : il s'était élargi et assombri, cependant que d'autres ecchymoses étaient apparues. Et, désormais, Mme Macholo prenait soin de dissimuler ses bras et ses jambes sous des châles et des jupes longues.

Au même moment, la toux de M. Macholo s'est aggravée. Certains jours, sa respiration faisait un bruit de ferraille et, d'autres fois, ses poumons gargouillaient ; on aurait dit qu'ils étaient pleins d'une soupe épaisse. Il vomissait des boulettes de mucus dans une cuvette en porcelaine, et toussait si violemment que je craignais de voir ses poumons se déchirer.

J'étais chez Esther le jour où il a eu sa dernière crise. Nous avons hurlé pour appeler des secours pendant qu'il se débattait par terre en suffoquant. Après une agonie qui nous a paru interminable, il s'est noyé dans son propre vomi.

La mère d'Esther s'est effondrée, comme si elle n'était restée en vie jusque-là que pour prendre soin de son mari. Lorsqu'il est mort, elle est restée prostrée dans son lit, refusant de s'alimenter.

« Maman a une tumeur à la tempe qui a la taille d'un œuf et grossit à l'intérieur de son cerveau, m'a dit Esther en pleurant. Elle est presque aveugle et, par moments, elle perd la tête. Elle ne sait plus qui elle est. Elle ne sait même pas que je suis là. »

Esther a manqué l'école pour s'occuper d'elle. À l'heure du déjeuner, je faisais un saut à bicyclette pour l'aider. Un jour, quand je suis arrivée, des badauds étaient attroupés devant chez elle. Mme Macholo titubait dans sa cour en brandissant un râteau et en hurlant que des lions menaçaient de la dévorer. Esther a dû demander de l'aide à trois de ses voisines, et nous n'avons pas été trop de cinq pour la forcer à rentrer.

Mon amie a congédié les voisines quand le docteur s'est présenté.

« C'est le diable qui vient me chercher ! » a hurlé sa mère.

Puis elle s'est mise à vociférer des mots inintelligibles. Pendant que le docteur lui administrait un sédatif et l'auscultait, je me suis blottie avec Esther, ses frères et sa sœur dans un coin du séjour. Lorsque le docteur est sorti de la chambre, il nous a attirées à l'écart, Esther et moi. Il a dû penser que j'étais de la famille, et Esther ne l'a pas détrompé.

« Je suis désolé, a-t-il dit, il n'y a rien à faire. J'aimerais vous proposer un lit, mais l'hôpital est plein. Quelqu'un devra rester avec elle en permanence, pour l'emmener aux toilettes, l'essuyer, lui faire sa toilette... Est-ce que vous avez une tante qui pourrait s'installer ici quelques semaines ?

— Je ne sais pas, a murmuré Esther.

— Il faudra lui donner des calmants, a continué le docteur. Je vais vous procurer une camisole pour la maîtriser. Je vous trouverai aussi de l'eau de Javel et une boîte de gants en caoutchouc. Vous devrez tous en porter quand vous vous occuperez d'elle.

— C'est notre maman ! a protesté Esther. On ne va pas la traiter comme les ordures.

— Il s'agit de vous protéger. Il y aura des fluides corporels... des selles.

— Et alors ? On se lavera les mains. On n'attrape pas le cancer avec des microbes. »

Le docteur s'est tu un instant avant de reprendre :

« Je ne pense pas que ce soit seulement un cancer. Je voudrais lui prescrire un test de dépistage du VIH, le virus du sida. Vous devriez vous faire tester aussi, vous et vos frères et sœurs.

— Non ! s'est écriée Esther, terrifiée.

— Il vaut mieux connaître la vérité.

— N'insultez pas ma mère ! N'insultez pas ma famille !

— Je n'insulte personne.

— Si ! »

Esther a levé les poings :

« Vous dites que ma famille est sale. Que mon papa trompait ma maman. Ou que ma maman se drogue.

— Je n'ai rien dit de tel.

— Alors, comment pourrait-elle avoir le virus ?

— Mademoiselle Macholo, a protesté le docteur, je cherche simplement à savoir ce qu'elle a, et pas comment elle l'a attrapé.

— Sortez d'ici ! a hurlé Esther. Sortez d'ici tout de suite ! »

Après le départ du docteur, Esther m'a regardée, horrifiée. « Ne t'inquiète pas, lui ai-je chuchoté. Je ne dirai rien à personne. »

J'ai tenu ma promesse. J'ai fait comme si tout était normal. Peut-être que c'était le cas, après tout. Le cancer est le cancer, et beaucoup de mineurs contractent la tuberculose. C'est ce que tout le monde disait à l'enterrement. Même le prêtre, dans son sermon : « La mort a passé la porte sur la pointe des pieds au moment où personne ne regardait. Cela arrive à n'importe qui. »

Chaque mois qui s'est écoulé depuis l'enterrement de Mme Macholo m'a soulagé la poitrine d'un poids. J'étais certaine qu'Esther était à l'abri derrière son rideau, à présent. Mais je n'en suis plus si sûre : si Mme Tafa murmure, combien d'autres murmures s'élèvent, se répandent comme des germes et infectent les esprits ?

Combien de temps faudra-t-il encore avant que le rideau s'ouvre ? Et que se passera-t-il ensuite ?

Je quitte la cour de Mme Tafa d'un pas assuré, pour ne pas lui laisser deviner à quel point elle m'a bouleversée. Iris et Soly sont accroupis sur le bord de la route, devant chez nous.

— Qu'est-ce que vous faites ?

— On regarde les fourmis, dit Iris sans lever les yeux. Elles tirent une mouche morte.

Soly acquiesce :

— C'est un défilé.

— Ce n'est pas un défilé, rectifie Iris. C'est un enterrement. Elles l'emmènent au cimetière pour l'enterrer.

— Arrête : ce n'est pas drôle ! Je te dis que c'est un défilé.

Iris le fusille du regard. Elle attrape la mouche par une aile et chasse les fourmis. Puis elle s'élance en courant sur la route, Soly à ses trousses.

— Ce n'est pas un défilé, c'est un enterrement ! Tu comprends ? Je suis le prêtre, c'est moi qui dis les prières. Toi, tu es un ami de la mouche, tu dois pleurer.

Je les laisse à leur dispute et j'entre dans notre cour. Mon cœur fait un bond : je découvre Esther, allongée par terre près de la haie de cactus, sa bicyclette d'un côté, son cartable de l'autre. Elle a dû arriver pendant que j'étais chez Mme Tafa.

Pourquoi faut-il toujours que les gens viennent à l'improviste au moment où vous parlez d'eux ? Ont-ils des antennes, comme les fourmis, qui leur permettent d'entendre quand on prononce leur nom, à des kilomètres à la ronde ? Je m'approche de mon amie :

— Dumêla !

Esther se lève, se frotte les yeux et me fait un signe de main. Ses bracelets reflètent la lumière du soleil et m'éblouissent.

— Je suis venue dès que j'ai appris la nouvelle, murmure-t-elle en me prenant dans ses bras.

Mme Tafa, qui a regagné sa chaise longue, nous observe d'un œil mauvais.

— Viens, on va marcher, dis-je.

Bras dessus, bras dessous, on se dirige vers le parc. Chemin faisant, je réfléchis : « Qu'a-t-elle entendu ? Est-ce qu'elle dormait au moment où Mme Tafa a dit du mal de ses parents ? »

Le parc est une étendue de sable déserte, parsemée de touffes d'herbes, équipée d'un portique et d'un jeu de tape-cul. On s'assied chacune sur une balançoire et on tourne sur nous-mêmes jusqu'à ce que les chaînes fassent des nœuds. Puis on lève les pieds et on se laisse tourner à toute vitesse dans l'autre sens. Esther rit. Elle aime toujours autant avoir le tournis.

Dès que les balançoires sont immobilisées, on fixe le sol et on enfouit nos pieds dans le sable.

— Chanda, lâche enfin Esther, tu sais que je resterai ton amie quoi qu'il arrive, n'est-ce pas ?

— Oui.

— Je veux dire... Même si les gens racontaient des choses affreuses sur ta famille... Je serais encore ton amie.

Un frisson me parcourt la nuque.

— Qu'est-ce que les gens racontent ?

— Rien. Mais admettons qu'ils le fassent...

Après un silence embarrassé, elle ajoute :

— Et si les gens répandaient des rumeurs sur ma famille à moi ?

— Pardon ?

— Tu m'as parfaitement entendue. Si les gens répandaient des rumeurs sur ma famille, est-ce que tu resterais mon amie ?

Je m'interdis de ciller. Je suis sûre de deux choses, désormais. La première, c'est qu'Esther a entendu Mme Tafa. Et la seconde, c'est que Mme Tafa a vu juste.

« Et alors ? » me dis-je. Au fond de moi, j'avais déjà deviné que ses parents étaient morts du sida. Rien n'a changé.

Si rien n'a changé, pourquoi est-ce que j'ai peur ?

Esther se fait pressante :

— Alors ? Est-ce que tu serais toujours mon amie ?

— Arrête de dire des bêtises ! Ça porte malheur.

— Réponds à ma question.

Je me rappelle ce qu'on nous a appris à l'école : le sida ne s'attrape que par le sang et le sperme. Mais quand même : si les gens racontent que vous avez la maladie, on vous évite. On évite aussi votre famille et vos amis.

Esther descend de sa balançoire et s'approche de moi :

— Est-ce que tu resterais mon amie, ou pas ?

Je saute sur mes pieds et je recule. Les yeux d'Esther se remplissent de larmes. Elle fait volte-face et part en courant.

— Attends !

Je la rattrape, lui fais faire demi-tour, la serre dans mes bras et lui plante un baiser sur chaque joue.

— Bien sûr que je serai toujours ton amie ! Ta meilleure amie.

Esther me rend mon étreinte.

— Je le savais ! s'écrie-t-elle en riant. On est amies pour la vie, quoi qu'il arrive. Tu ne me laisseras jamais tomber. Je le savais !

La vérité, c'est qu'elle n'en était pas sûre.

Et, jusque-là, moi non plus.

9

Lorsque nous revenons avec Esther, maman nous attend au bord de la route. Elle nous chuchote qu'elle préférerait qu'Iris et Soly ne soient pas là quand M. Bateman viendra. Esther suggère de descendre en ville avec eux, d'aller manger du seswa[1] et boire un Coca au bar du YMCA[2].

Elle le leur propose, et ils sautent de joie. Pour eux, les trajets en autobus sont de véritables aventures. De plus, ils adorent Esther, parce qu'elle leur prête volontiers ses bijoux. Peu importe qu'ils soient faux : ils sont brillants, colorés, et les petits passent des heures à jouer au roi et à la reine, ou à mettre en scène les légendes que

---

1. Seswa : sorte de ragoût de bœuf, mélangé avec des betteraves, des carottes, des pois et de la purée de haricots.
2. YMCA (Young Men Christian Association), foyer catholique pour les jeunes.

j'apprends pendant les cours de M. Selamame, et que je ne me lasse pas de leur raconter.

Je donne un peu d'argent à Esther et je lui suggère de les emmener aussi faire un tour au bazar. Peut-être qu'un vendeur ambulant aura un petit jouet pour les distraire ces prochains jours, ou des bagues rien que pour eux.

Après leur départ, maman retourne auprès de Sara, et je prépare de la soupe pour le déjeuner. Je mets les seaux dans la brouette et je vais chercher de l'eau à la fontaine. La queue n'est pas trop longue, et les gens qui ont appris pour Sara me témoignent leur sympathie.

En revenant, j'allume un feu dans le brasero ; je verse l'eau dans la marmite, où je jette aussi quelques os, quelques racines comestibles et des petits morceaux de poulet séché, puis je la pose sur le feu pour que la soupe cuise lentement. Je dois encore ratisser la terre devant la porte d'entrée, afin de rendre les lieux accueillants pour M. Bateman.

Une fois ces choses faites, il ne me reste plus qu'à m'asseoir et attendre.

M. Bateman arrive à une heure et demie. Je me précipite pour lui donner l'argent.

— Je suis désolé d'arriver si tard, me dit-il. J'ai été retenu par un client de dernière minute.

Il n'est pas le seul à être en retard. Jonah n'est toujours pas là. Surprenant, non ?

Maman reçoit M. Bateman à la porte et l'emmène dans la chambre. Sara est parée de sa plus jolie robe et tient entre ses mains une fleur du jardin. Elle me paraît minuscule et transie de froid.

— La pauvre petite chérie..., murmure M. Bateman. Quelle tristesse !

Il enveloppe Sara dans un drap de coton blanc, dont il coud les bords avec un point lâche, puis il inscrit un nombre en travers, à la craie grise.

— On va bien s'occuper d'elle, promet-il. Vous pouvez passer la chercher après-demain, à trois heures.

Maman acquiesce en silence. Elle dépose un baiser sur le paquet et regarde M. Bateman l'emporter et l'installer sur le siège arrière de sa voiture. Elle fait des signes d'adieu à l'automobile qui s'éloigne et, lorsque cette dernière a passé le virage, elle se fige sur place, comme perdue.

— Maman...

Je vais pour la prendre dans mes bras, mais elle lève une main et ferme les yeux. Elle inspire à fond, les rouvre et se met à fixer un point, droit devant elle, puis se dirige vers la maison, tel un automate. Elle entre et referme la porte derrière elle. À l'intérieur, je l'entends hurler.

Iris et Soly reviennent avec des bagues et un nouveau jouet. C'est un portemanteau tordu en forme de carré, avec des canettes de soda en guise de roues. Soly affirme que c'est un camion ; Iris, un autobus.

Je propose à Esther de rester déjeuner, mais elle préfère rentrer chez sa tante, de crainte d'être battue si elle tarde trop. Nous nous embrassons et elle enfourche sa bicyclette en me promettant de revenir mercredi pour nous aider à préparer le repas d'enterrement.

Après son départ, j'apporte la gamelle de soupe et nous nous asseyons autour de la table pour déjeuner. Maman a encore les yeux fermés. Iris et Soly font semblant de ne pas s'en apercevoir. Ils sont très tranquilles, depuis leur retour. Je les interroge :

— Qu'est-ce qui se passe ?

Iris fixe sa cuillère :

— Où est Sara ?

Je regarde maman. Elle ne bronche pas.

— Sara est partie en voyage, dis-je prudemment.

Je vois maman hocher la tête, presque imperceptiblement.

Un silence, puis Iris fronce les sourcils :

— Pourquoi on n'est pas partis avec elle ?

— Vous étiez avec Esther.

— Ah.

Nouveau silence.

— Quand est-ce qu'elle revient ? demande Soly.

— Tu es trop curieux ! Ça t'a plu, d'aller en ville en autobus ?

— C'était bien.

Les petits commencent à montrer des signes d'impatience. Ils ont plein de questions, mais devinent que personne n'est disposé à leur répondre. D'ailleurs, sont-ils sûrs de vouloir des réponses ?

Nous regardons la soupe refroidir dans nos bols. Finalement, je me lève et je vide leur contenu dans la marmite :

— Le repas est terminé !

Iris et Soly quittent la table et partent s'amuser avec leur nouveau jouet, comme si de rien n'était. Je fais la vaisselle, j'allume les lampes et je change les draps du lit où reposait Sara. Puis je m'installe avec le livre que je dois lire pour mon cours d'anglais, mais je n'arrive pas à fixer les mots ; ils dansent devant mes yeux.

Iris me tire par le coude. Soly est là aussi, à côté d'elle.

— Qu'est-ce qu'elle a, maman ? chuchote-t-elle.

Je jette un coup d'œil en coin. Maman est toujours assise à table, les yeux fermés.

— Elle n'a rien, dis-je à voix basse. Elle réfléchit, c'est tout.

Iris n'est pas convaincue. J'insiste :

— Tu as déjà vu maman penser, non ?

— Pas comme ça.

— Ce soir, elle a beaucoup plus de choses à penser, c'est tout.

— Quoi, par exemple ?

— Je ne sais pas exactement...

Je lui caresse la joue :

— Ne t'inquiète pas, tout va bien. Maman va bientôt arrêter de penser.

La suite me donne raison : quelqu'un frappe à la porte d'entrée.

— Coucou ! C'est moi ! crie Mme Tafa.

Maman ouvre brusquement les yeux. Elle se redresse, tapote ses joues creuses et va ouvrir la porte.

Mme Tafa la serre longuement contre elle.

— Ça y est, tu reçois enfin tes visiteurs ! s'écrie-t-elle.

Puis elle s'approche de l'oreille de maman et ajoute :

— Oh, Lilian ! Je sais ce que c'est de perdre un enfant. Quand mon Emmanuel est mort, j'ai voulu me jeter dans la tombe avec lui.

Elle semble se raviser et recule :

— Bon, je ne te dérange pas plus longtemps. Je voulais juste te prévenir que ta famille de Tiro a téléphoné.

— J'arrive tout de suite, dit maman.

— Inutile, fait Mme Tafa avec un sourire épanoui, j'ai pris le message. À quoi serviraient les amis, sinon ?

Elle passe devant maman d'un pas alerte et se laisse tomber sur une chaise :

— Ta sœur Lizbet représentera la famille. Elle arrive demain soir, en car. Tes autres frères et sœurs t'envoient leurs condoléances. Ils ne peuvent pas venir : c'est trop court et ils n'ont personne pour s'occuper des bêtes. Et qu'est-ce que j'oublie encore ?

Elle se frappe la tête :

— Ah, oui ! Ta fille Lily et son mari voulaient venir, mais Lily attend un bébé – félicitations ! – et, vu l'état des routes, elle préfère ne pas risquer d'accoucher prématurément. Ta maman reste pour veiller sur ton papa. Il est alité parce que ses os le font souffrir, mais tu ne dois pas t'inquiéter.

Elle se verse un verre d'eau avant d'enchaîner :

— Ils veulent quand même contribuer à la fête, alors ils te font passer des sacs de farine de maïs, des oignons, des carottes et des patates, qui voyageront avec Lizbet. Et du sel. Ils espèrent que ton homme fournira la vache... Ah, au fait, qui est Tuelo Malunga ?

— Un ami de la famille, répond maman, tendue.

— Eh bien, ton papa te fait dire que Tuelo Malunga t'envoie ses condoléances aussi. Et que sa femme et lui viennent d'avoir leur huitième garçon. Il n'y a que des garçons dans cette famille ! Quel homme, ce Tuelo Malunga !

— C'est ce que papa a toujours pensé.

Mme Tafa lance un coup d'œil à Iris et Soly.

— À propos, murmure-t-elle, tu as trouvé où mettre les petits pendant le tu-sais-quoi ?

— Je pense que la sœur de Jonah, Ruth, les emmènera.

— Parfait.

Elle hésite :

— Ne le prends pas mal, mais où est Jonah ?

Quand Mme Tafa part enfin, nous avons tous la migraine, mais sa visite a eu le mérite de remettre maman d'aplomb. Elle tapote la tête d'Iris et de Soly et les envoie se préparer pour aller au lit. Quand ils se sont brossé les dents, sont revenus des toilettes et se sont lavé les mains, elle les borde dans leur lit.

Iris ne veut pas lui lâcher le bras. Elle ne fanfaronne plus du tout.

— Qu'est-ce qu'il y a ? lui demande maman.

— Rien.

Elle frotte son nez contre le sien :

— Allez, dis-m'en un peu plus...

Iris frissonne :

— Est-ce que tu as donné Sara ?

— Oui, fait Soly en écho. Tu l'as donnée ? Et nous, tu vas nous donner aussi ?

— Comment pouvez-vous penser une chose pareille ?

— P...parce que tu as dit à Mme Tafa que Tatie Ruth allait nous emmener, bredouille Iris.

Maman secoue la tête :

— Vous n'auriez pas dû entendre.

— Mais on a entendu ! sanglotent-ils. S'il te plaît, ne nous donne pas ! S'il te plaît, maman !

— Personne ne va donner personne, déclare maman fermement.

Elle leur fait un gros câlin.

— Sara est partie en voyage, voilà tout. Tante Ruth vous gardera pendant deux jours parce qu'il y aura beaucoup d'adultes à la maison, et que vous risquez de vous ennuyer si vous restez là.

— Non, on ne s'ennuiera pas.

— Si. Et, chez Tante Ruth, vous pourrez jouer avec vos cousins. Le temps passera très vite, et, avant d'avoir pu dire « ouf », vous serez de retour à la maison, avec Chanda et moi.

Un silence.

— D'accord ?

Les gémissements s'atténuent.

— Tu peux dormir avec nous ce soir, maman ? demande Iris. S'il te plaît ?

— Bien sûr.

Elle les embrasse tous les deux sur les cheveux :

— Je vous aime. Ne l'oubliez jamais.

Lorsque maman se lève, Iris la regarde dans les yeux. D'une voix claire et calme, elle dit :

— Est-ce que Sara est partie faire le même voyage que le papa de Soly ?

Maman inspire profondément :

— Oui.

Le silence retombe. Plus personne ne pleure. Maman quitte la chambre, et je lui emboîte le pas. Sur le seuil, j'entends Soly chuchoter :

— Iris... tu crois qu'on reverra Sara un jour ?

— Oui, chuchote Iris avec ferveur. Un jour. Un jour, le monde disparaîtra, et on sera tous réunis. Sara, ton papa et le papa de Chanda, et tous les autres. Ils sont en train de nous construire une maison, en ce moment.

— Où ?

— C'est un secret.

— Mais où ?

— Dans un endroit merveilleux.

— C'est où ?

— Tu le découvriras quand tu seras plus vieux, murmure Iris d'un ton affectueux de maman.

— Je veux savoir maintenant.

— Non !

Elle a changé de ton :

— Allez, dors !

— Pas avant que tu m'aies dit où. Oùùùùùùùùù ? Où-où-où-où-où-où ???

— Dors, ou sinon...

— Ou sinon quoi ?

Iris lui donne un petit coup de poing. Il glousse. Elle le tape plus fort.

— Aïe !

— Qu'est-ce qui se passe ici ? fais-je de ma voix sévère de grande sœur.

— Rien, répondent-ils en chœur.

Ils se taisent jusqu'à ce qu'ils me croient partie. Puis j'entends de nouveau des gloussements, des « chuut ! », et bientôt le calme revient.

Je me réveille au milieu de la nuit. Il y a du grabuge dans la cour : on chante à tue-tête, on s'insulte. Une canette métallique cogne contre la brouette. Les amis de Jonah l'ont ramené. Ils le poussent vers la maison et se sauvent en courant.

Jonah titube contre la porte, trop saoul pour soulever la clenche. Il bafouille quelques mots et se laisse tomber par terre, inconscient. Dans la faible clarté de la lune, je vois maman, à l'autre bout de la pièce, allongée près d'Iris et Soly. Elle a les yeux ouverts et fixe le plafond.

Chaque nuit ou presque, je l'aide à traîner Jonah dans leur chambre. Je le lâche sur le matelas et je laisse maman lui retirer ses chaussures.

Maman me défend de le juger. Elle affirme qu'il a ses raisons pour boire. Peut-être en a-t-il, en effet. Mais, en ce moment précis, je ne me soucie pas vraiment de savoir lesquelles. Maman non plus. On reste allongées sur nos lits respectifs et on l'écoute ronfler.

10

Le car de Tiro est un pick-up, qui s'arrête chaque fois que quelqu'un lui fait signe et dépose les voyageurs à bon port. En général, le mardi, il ne transporte pas grand-monde ; on attendait donc Tante Lizbet en début d'après-midi. Elle n'arrive qu'à la nuit, avec son cartable et trois sacs de légumes.

— On est tombés en panne d'essence et on a dû patienter des heures, le temps que le conducteur fasse l'aller-retour en stop pour remplir ses bidons au garage. Il a été pris par une charrette à mule ! Doux Jésus ! Et j'ai mal au cœur d'avoir été secouée toute la journée au-dessus de tes oignons.

Elle fait mine de défaillir :

— Je ne peux pas marcher. Tu vas devoir me porter. Et me trouver de la glace pour mettre sur mes reins.

Maman et moi improvisons un siège en croisant les mains sur nos poignets. Tante Lizbet tortille des hanches pour s'y installer ; elle s'agrippe à nos épaules tandis que nous la transportons jusqu'à la maison. Même assise dans le rocking-chair, elle continue de geindre. Je sors chercher ses sacs et son cartable pendant que maman, équipée d'un marteau, va ouvrir la glacière. Elle frappe le bloc de glace, enveloppe les fragments dans un torchon à vaisselle, qu'elle enferme dans un sac en plastique et applique sur les reins de sa sœur.

— Aïe ! Aïe ! gémit Tante Lizbet.

Je plaindrais n'importe qui d'autre, mais, là, j'ai envie de rire.

Iris et Soly sont assez futés pour rester dans leur chambre et faire semblant de dormir. Jonah, quant à lui, hasarde une tête hors de la chambre. Il a une gueule de bois terrible depuis le matin, et souffre de nausées. Maman tente de le remettre au lit, tandis qu'il insiste pour implorer publiquement son pardon :

— Je ne boirai plus une seule goutte, je te le jure !

Tante Lizbet hausse un sourcil :

— Alors c'est vous, le nouveau ?

On ne tarde pas à aller se coucher, mais Tante Lizbet est la seule à s'endormir.

— Debout ! Debout ! braille-t-elle de très bonne heure, le lendemain matin.

Quand elle est là, pas besoin d'un coq !

Je me frotte les yeux. On est mercredi. Il y a deux jours, Sara vivait encore. Aujourd'hui, on la ramène à la maison. Demain, on l'enterre.

Tante Ruth vient à neuf heures chercher Iris et Soly. Elle discute aimablement avec Jonah ; chose étonnante, parce que, la dernière fois qu'il est allé chez elle, il a essayé de lui voler ses bijoux. En plus de faire la baby-sitter, Tante Ruth a organisé le repas d'enterrement. Les parents de Jonah n'ont pas voulu donner de quoi acheter une vache, et Ruth leur a fait honte en nous offrant deux chèvres à elle seule. J'espère que ça suffira.

Esther arrive pour nous aider au moment où Iris et Soly s'en vont. Sa venue me met du baume au cœur, et on s'attelle immédiatement à la tâche.

Bateman nous a fourni un barnum[1] pour les invités qui resteront dormir. M. Tafa et ses locataires le montent dans la cour, près du brasero. Pendant ce temps, Maman, Esther, Mme Tafa, Tante Lizbet et moi, nous nous chargeons du ménage. La maison doit être impeccable pour la dernière visite de Sara. On commence par sortir les meubles et toutes nos affaires.

Au bout de deux voyages, Mme Tafa est en nage, et Tante Lizbet se plaint de son dos. Elles décident de faire une pause et terminent la matinée en médisant, un verre

---

1. Barnum : une grande tente que l'on monte pour abriter des réceptions en plein air.

de citronnade à la main. Esther est leur principal sujet de conversation. Au début, elles se parlent à l'oreille en chuchotant ; puis elles élèvent la voix et deviennent grossières.

— En voilà des bracelets ! mugit Tante Lizbet lorsque Esther les dépasse en portant une chaise. Ils sont si gros que je suis étonnée qu'ils ne lui fassent pas de bleus.

— C'est le dernier de ses soucis, glousse Mme Tafa. Attends un peu qu'elle se penche, et tout le quartier verra sa culotte.

Elles se mettent à rire si fort qu'elles manquent de tomber à la renverse. Esther s'arrête net. Elle pose sa chaise, se tourne vers elles et avance une hanche :

— Ne vous inquiétez pas, madame Tafa, lui fait-elle avec un sourire délicieux. Je ne risque pas de montrer ma culotte : je n'en ai pas.

J'entraîne Esther derrière la maison et je la réprimande à mi-voix :

— Tu ne devrais pas dire des choses pareilles. Elles vont le répéter partout comme si c'était vrai.

Comme prévu, quand je reviens, les langues de ces dames vont bon train.

— Elle a toujours été mal élevée, cette gamine, marmonne Mme Tafa. Une mauvaise influence. Je l'ai dit à Lilian.

— Où est sa mère ? demande Tante Lizbet.

— Morte.

Mme Tafa se tapote le nez. Tante Lizbet plisse les yeux :

— Ceci explique cela.

Je voudrais intervenir, mais pour dire quoi ? Ça ne ferait qu'alimenter leur conversation. Par chance, la maison est vide. Esther et moi pouvons aller nettoyer à l'intérieur et faire comme si elles n'existaient pas.

Avec l'aide de maman, nous astiquons les sols et les murs. On lave aussi les couverts, les assiettes et les tasses que les voisins nous ont prêtés pour la fête. Ils paraissent propres, mais on ne sait jamais. Ensuite, on empile du bois près du brasero, de quoi entretenir des braises sous les marmites pendant toute la nuit.

À l'heure du déjeuner, Mme Tafa et Tante Lizbet nous rejoignent.

— Pas mal, dit Mme Tafa en jetant un regard circulaire. Sans vouloir critiquer, il reste quelques taches sur le mur de la cuisine. Enfin... je suis sûre que personne ne remarquera.

— Ah, moi, je les avais remarquées ! s'exclame Tante Lizbet. Et, si tu veux mon avis, il faudrait aligner les meubles plus soigneusement dehors. Quoique... on a vu pire.

Nous les ignorons et allons nous changer. Maman me suggère de prêter une jupe longue à Esther. Ça me gêne de le lui proposer, mais Esther ne s'en offusque pas. Elle offre même de retirer quelques-uns de ses bracelets et sa broche en strass.

Puis nous prenons le chemin de « Lumière Éternelle ».

En arrivant sur les lieux, Tante Lizbet remarque les bétonnières et montre du menton le patio de M. Bateman, pavé de dalles roses et grises :

— Comme c'est pratique !

Aujourd'hui, le patio est rempli de chaises pliantes. Nous nous asseyons en compagnie d'autres gens endeuillés, assis à l'ombre d'un store en plastique. Ils viennent de différentes églises ; la plupart ont des tenues très colorées, des costumes et des robes de coton aux couleurs éclatantes. Ils rythment leurs chants avec des tambourins. Nous chantons un temps avec eux, puis nous nous taisons, assis tout raides dans nos vêtements noirs et bleu marine, comme de vilains corbeaux à un défilé.

M. Bateman commence à rendre les corps à quinze heures. À chaque fois qu'il appelle un nom, on entend un cliquetis de chaises pliantes, suivi par un tonnerre d'applaudissements, et de nouveaux chants.

Enfin, il prononce le nom de Sara. Esther me presse la main. Je retiens ma respiration et j'essaie de ne pas penser à ce qui nous attend. Maman, Jonah, notre prêtre et moi, nous suivons M. Bateman dans le long couloir menant à la salle où sont exposés les cercueils, puis dans une minuscule chapelle. Quand il nous présente Sara dans son cercueil, je suis prise de vertige. Elle a l'air tellement étrange... La poudre a estompé les plaques rouges sur son visage ; le linceul masque ses oreilles couvertes d'éruptions et les endroits où son cuir chevelu était pelé. Ils ont aussi rembourré ses joues avant de lui coudre les lèvres. Soudain, je réalise combien elle était devenue maigre.

Les autres entrent à leur tour et prennent place autour de nous : Esther, Tante Lizbet, Mme Tafa et la famille de Jonah. J'entends vaguement qu'on a mis une cassette de musique religieuse, le prêtre dit une prière... Et, avant que j'aie pu retrouver mes esprits, tout le monde emboîte le pas à M. Bateman, qui emporte Sara sur une sorte de table à roulettes. On tourne à droite après la salle d'embaumement, on franchit une lourde porte à double battant et on se retrouve dehors, sur le parking. Sara est placée dans une minuscule remorque en forme de cercueil, accrochée à l'arrière d'une Chevrolet.

Mes oreilles s'emplissent du son des chants et des tambourins tandis que M. Bateman me fait signe de monter dans la Chevrolet, avec maman et Jonah. Lorsque nous quittons l'allée, je distingue une multitude de visages flous, les visages de tous les gens venus dire adieu à Sara.

J'ai une vision. Un jour, des visages seront là pour maman et pour moi. Pour Esther, Soly et Iris, et pour tous ceux que j'aime. J'ai envie d'enfouir ma tête dans la poitrine de maman et de hurler : « Je ne veux pas mourir ! Pourquoi naissons-nous ? »

11

La Chevrolet s'arrête devant chez nous ; elle précède
un convoi de parents et d'amis. Les deux beaux-frères de
Jonah portent le cercueil de Sara dans la maison. Ils le
posent dans la pièce principale, sur la planche à repasser
recouverte d'un drap blanc immaculé. Les jouets de Sara
sont disposés au sol, tout autour.

M. Bateman nous a fourni deux couronnes de fleurs
en plastique, et Mme Tafa insiste pour les laisser dans
leur emballage de cellophane, afin d'éviter de les salir.
Elle prétend que c'est ce qu'ils font, au cimetière des
Blancs. Mme Tafa est une idiote, mais maman ne discute
pas : elle attend simplement qu'elle soit sortie pour
déballer les couronnes. À partir de maintenant, et jusqu'à demain matin, seuls les proches de la défunte sont
autorisés à entrer dans la pièce. La prochaine fois que
Mme Tafa verra les couronnes, elle aura oublié son

conseil. Comme dit maman, pourvu qu'elle se sente importante, tout va bien...

M. Bateman se mêle aux invités, serre des mains et distribue des cartes de visite. Des voisins lui posent des questions, à tout hasard. « Nous proposons un service tout compris, leur confie-t-il. Vous ne vous occupez de rien. Nous mettons même une photographie de votre cher disparu dans le faire-part. Si vous n'en avez pas, nous pouvons prendre un Polaroïd. » Il leur donne quelques cartes supplémentaires pour leurs amis : « Mieux vaut prévoir à l'avance. Ça vous évite le stress des décisions de dernière minute. »

Entre-temps, Esther attise le feu, les sœurs de Jonah coupent des légumes et dépècent les chèvres. On nous les a apportées déjà saignées, et c'est tant mieux : j'aurais détesté les entendre crier, voir leur sang déborder des gamelles et couler par terre, puis sentir cette odeur dans le sol pendant des semaines.

J'accompagne maman dans la maison ; nous allons passer quelque temps avec Sara. Arrivée à la planche à repasser, maman se prend soudain le ventre entre les mains et se laisse tomber à terre en sanglotant. J'ai peur. C'est la première fois qu'elle pleure devant moi.

— Je suis désolée, me dit-elle.

— Ce n'est pas grave. Je ne suis plus un bébé.

J'ai à peine fini ma phrase que je suis par terre à côté d'elle, à sangloter aussi. Nous nous étreignons. Nous avons du mal à reprendre notre souffle. Quand nous sommes de nouveau capables de respirer, nous nous essuyons les yeux.

— Tu peux pleurer ici quand on est toutes les deux, me dit maman, mais retiens-toi devant les gens.

Je hoche la tête et je me plie à ses désirs. Tout l'après-midi, nous faisons bonne figure en public, et nous rentrons crier notre chagrin.

Nos amis et voisins sont presque tous venus avec un pull-over, un oreiller et un tapis, pour dormir dehors. Esther m'aide à ranger leurs affaires. Mes camarades d'école me parlent gentiment de Sara, et, chaque fois qu'Esther voit ma lèvre trembler, mon amie change de sujet. Elle évoque les rumeurs qui circulent au sujet de nos professeurs.

— Ça fait déjà deux ans que M. Joy passe ses nuits tout seul avec ses livres d'histoire, dit-elle avec un clin d'œil. C'est long, non ?

L'espace d'une seconde, j'oublie qu'on enterre ma sœur demain et j'éclate de rire. Puis d'autres invités arrivent, nous présentent leurs condoléances, et j'ai de nouveau le cœur au bord des lèvres. Je fais des signes de tête, je serre des mains, je remercie les gens d'être venus et je me précipite dans la maison.

La formule « sincères condoléances » est douce à entendre. En revanche, je déteste qu'on me dise : « Ça vaut mieux ainsi, Sara est auprès du Seigneur. » J'ai envie de répondre : « Si être auprès du Seigneur est ce qui peut vous arriver de mieux, qu'est-ce que vous attendez pour aller vous tuer ? » Je n'aime pas davantage : « Fais confiance au Bon Dieu, il a ses raisons. » J'ai envie de dire : « Ah ? Et c'est sûrement pour les mêmes raisons qu'il vous a fait moche et idiot ? »

Je culpabilise d'avoir ce genre de pensées. Bien sûr que je voudrais que Sara soit auprès du Seigneur. Et je veux bien croire aussi qu'il a ses raisons. Mais ce que je voudrais par-dessus tout, c'est que ma sœur soit vivante. Je ne supporte pas l'idée qu'elle est morte, et je hais tous ceux qui essaient de me faire voir le bon côté des choses.

C'est Mme Tafa la pire. Lorsque nous attendions chez M. Bateman, elle s'est penchée vers maman et lui a murmuré : « Rassure-toi, Lilian, votre pauvre petite chose a fini de souffrir. »

« Notre pauvre petite chose » ? Je l'aurais frappée.

Une terrible pensée m'est venue ensuite : « Et si elle avait raison ? » Sara souffrait depuis la minute où elle était née. Elle pleurait tant que j'en oubliais parfois que c'était ma sœur. Je la voyais comme une créature poussant des cris stridents insupportables. Elle avait des diarrhées, était couverte de plaies purulentes qui la démangeaient horriblement. Le moindre mouvement la torturait, alors elle ne bougeait presque pas. Elle n'avait jamais marché, et c'est tout juste si elle avait rampé ; elle se contentait le plus souvent d'agiter les pieds. Maman et moi chantions pour elle ; nous lui racontions des histoires, mais elle nous écoutait à peine. Elle ne s'exprimait pas non plus. La fièvre avait peut-être endommagé son cerveau, ou parler lui était trop douloureux, à cause des cloques qu'elle avait dans la bouche et dans la gorge.

Je l'ignore. Personne ne connaissait sa maladie, pas même les docteurs. Du moins, c'est ce que prétendait maman. Très vite, elle avait emmené Sara à l'hôpital. Quand elle était revenue à la maison, maman ressemblait à un fantôme. Les docteurs ne pouvaient rien faire, ils ne savaient rien, nous avait-elle dit. Elle n'y était jamais retournée.

C'était affreux. À plusieurs reprises, j'avais prié pour que Sara meure, afin de ne plus l'entendre pleurer. Puis je m'étais giflée pour me punir d'avoir eu ces mauvaises pensées. Maintenant, je me demande si Dieu a exaucé mes prières. Sara est-elle morte par ma faute ? Je ne sais pas ce que je dois penser, et pas davantage ce que j'aurais dû penser. Je ne sais même pas ce que je ressens.

J'erre au hasard, perdue et déconcertée.

Esther me saisit le coude au passage :

— M. Selamame est là !

M. Selamame ? Je lève les yeux et je l'aperçois, qui marche vers moi. Jamais je n'aurais imaginé qu'il se déplacerait. Un professeur est quelqu'un d'important, et moi, je ne suis qu'une élève.

Tandis que M. Selamame me serre contre lui, son épouse arrive à nos côtés. Elle m'étreint, elle aussi. J'ai l'impression de la connaître, alors que nous ne nous sommes jamais parlé.

Les Selamame restent près de moi, et nous regardons ensemble le soleil se coucher. Maman s'approche. Ils lui présentent leurs condoléances, et elle les remercie d'être venus.

— Chanda est mon élève préférée, dit M. Selamame. Vous devez être très fière d'elle.

Le visage de maman s'éclaire, et mon cœur se gonfle à exploser.

Le ciel se teinte d'orange et de violet. On a allumé des torches partout dans la cour, et notre petite assemblée secoue peu à peu sa tristesse. Il y a des canettes dans une glacière, mais cela n'empêche pas certains d'aller faire un tour au shebeen des Sibanda. Vers dix heures, la nuit résonne de chants et de danses. Des vieillards jouent des chansons traditionnelles sur le segaba[1], et, à mon grand plaisir, le ghetto blaster[2] des Lesole diffuse du reggae et du hip-hop.

---

1. Segaba : un instrument de musique traditionnel qui évoque un peu un arc.
2. Ghetto blaster : un lecteur de cassettes ou de CD portatif, assez puissant.

M. Lesole a acheté son ghetto blaster grâce aux pourboires qu'il a reçus lorsqu'il travaillait comme cuisinier pour un camp de safari, dans le nord. Les jours où il reste chez lui, tout le quartier est au courant : il met la musique à fond, et on danse dans la rue devant sa maison. Le bruit m'empêche parfois de dormir, mais la musique rend joyeux, et, ce soir, c'est exactement ce dont chacun a besoin.

Tout en se trémoussant, les gens se rassemblent en petits groupes dans la cour. Ils sont à l'affût des dernières nouvelles, répandent les ragots de Mme Tafa ou se disputent avec M. Nylo, le fripier, sur les coupons de tissu qui font les meilleurs tapis de sol.

Vers minuit, on met les chèvres à cuire à feu doux dans les marmites. C'est alors que je remarque Mary au bord de la route. Avec son bonnet de laine tiré sur les sourcils, elle a l'air déguisé. Elle se cramponne à la haie pour garder l'équilibre, et elle est tellement saoule qu'elle ne s'aperçoit pas qu'elle vient d'empoigner un cactus. Elle brandit une bouteille, histoire d'attirer l'attention de Jonah, qui se fraie un passage pour la rejoindre.

Je recommande à ses beaux-frères de l'avoir à l'œil. C'est peine perdue : ils sont bien éméchés, eux aussi, et en moins de deux Mary s'enfuit avec les trois larrons. Les sœurs de Jonah forment un petit détachement, les traquent jusque chez les Sibanda et les ramènent en les tirant par l'oreille.

À deux heures du matin, la fête touche à sa fin. Certains dorment sous le barnum, mais la plupart des gens sont couchés à la belle étoile. Jonah est enfermé dans la maison et ses sœurs montent la garde devant la porte pour l'empêcher de sortir. Tandis qu'il ronge son frein dans la chambre, je m'allonge près de maman dans le séjour, avec Sara.

Par malheur, un des amis de Jonah lui fait passer des boissons par la fenêtre. Un peu avant l'aube, on le retrouve évanoui dans son propre vomi, cinq cartons vides de shake-shake autour de lui. Il faut vite le nettoyer, avant que M. Bateman arrive avec le prêtre.

Dehors, l'air est vif et le soleil se lève. Les gens ont bien dormi. Ils se frottent les yeux et se saluent. Le prêtre ouvre officiellement notre maison, et une queue se forme devant la porte. Chacun veut rendre un dernier hommage à Sara, devant son cercueil.

De retour dans la cour, les invités se tassent à l'arrière des pick-up. Tante Lizbet et Mme Tafa restent pour faire cuire le pain. Esther leur propose de les aider, mais Mme Tafa décline son offre, sous prétexte qu'elle les encombrerait plus qu'autre chose. La vérité, c'est que Mme Tafa refuse qu'elle touche à la pâte, de peur qu'elle répande la maladie de ses parents.

Maman et moi jetons un dernier regard à Sara. Nous posons à côté d'elle son jouet préféré, une marionnette faite d'une chaussette rayée, affublée de gros yeux en boutons. Puis maman me serre dans ses bras et M. Bateman cloue le couvercle.

On fait glisser le cercueil dans la remorque. Maman, Jonah et moi reprenons nos places dans la Chevrolet, et la procession funéraire se dirige vers le cimetière.

12

Le cimetière est un champ rocailleux dans la banlieue de Bonang. Il n'a été ouvert que l'an dernier, mais il est déjà presque plein. Sara sera enterrée dans l'angle nord-est, à environ une minute de marche des parents d'Esther.

Nous franchissons en voiture une clôture de fil de fer barbelé, passons devant un écriteau métallique qui énonce les règles de bienséance : pas de cris, pas de gémissements ni aucune autre conduite indécente ; il est interdit d'endommager ou de dépouiller les sépultures, et de faire paître du bétail.

Les allées sont poussiéreuses, sinueuses et pleines de nids de poules. À la dernière saison des pluies, des corbillards s'y sont embourbés, de même que les dépanneuses venues leur porter secours. Aujourd'hui, la Chevrolet rebondit violemment et j'ai peur que les chocs ne brisent le cercueil de Sara.

Nous arrivons enfin. La voiture s'arrête devant une rangée de huit trous fraîchement creusés, surmontés de gros monticules de terre. M. Bateman nous indique la troisième tombe à partir du haut. Nous ne serons pas seuls : à droite comme à gauche, des enterrements sont déjà en cours. Dans le lointain, je vois d'autres processions franchir la clôture en soulevant des nuages de poussière. Des gens descendent de pick-up et cherchent les tombes de leurs défunts. Une dispute éclate à propos des trous cinq et six.

Entre-temps, notre prêtre a escaladé le monticule de Sara et entrepris de nous lire un texte sacré, qui parle de la vie éternelle. Je veux croire en Dieu, et croire que Sara va rejoindre nos ancêtres. Mais, soudain, j'ai peur que les prêtres ne prononcent ces paroles que pour nous éviter de faire des cauchemars. (Je suis désolée, Seigneur, pardonne-moi. Je suis désolée, Seigneur, pardonne-moi. Je suis désolée, Seigneur, pardonne-moi.)

Le prêtre entame une prière. Tout le monde incline la tête, sauf moi. Je fixe le champ couvert de briques qui s'étend à perte de vue. Chaque brique désigne une tombe et porte une date, griffonnée à la peinture noire. Il n'y a même pas la place d'inscrire un nom. Les morts disparaissent comme s'ils n'avaient jamais vécu.

Sara aura une brique, elle aussi.

Je murmure : « Sara, pardonne-nous. » Je sais que nous n'aurons jamais assez d'argent pour lui acheter une pierre tombale, mais je voudrais économiser pour un moriti ; je voudrais que sa tombe soit entourée d'une petite clôture et couverte d'une toile, avec une porte fermant à clé, afin que l'on puisse lui laisser ses jouets et éviter qu'on les lui prenne. J'aimerais bien qu'on puisse lire son nom, inscrit en lettres métalliques, sur le devant.

Maman dit que les moritis ne sont qu'un moyen de plus d'enrichir les entrepreneurs de pompes funèbres. Que les toiles qui couvraient les tombes de papa et de mes frères ont été volées presque tout de suite, et que les clôtures se sont déformées lorsque les tombes se sont effondrées, à la saison des pluies. Je n'en démords pas pour autant.

À la ferme, les tombes de mes arrière-arrière-grands-parents sont délimitées par des galets. D'ailleurs, ce n'est pas important, car les familles sont enterrées ensemble, et chacun sait où chacun repose, depuis toujours. Mais ici les morts sont enterrés pêle-mêle, alors on les oublie. Leurs souvenirs se dispersent dans le vent comme des graines de pissenlit.

Le prêtre achève sa prière et fait un signe de croix. Les employés de M. Bateman descendent le cercueil de Sara avec des cordes. Un par un, en file indienne, nous passons tous devant la tombe pour lancer une fleur sur le cercueil, puis les gens s'en vont. Nous restons entre nous : maman et moi, Jonah et ses beaux-frères. Nous retrouverons les autres à la maison, pour la fête.

Les beaux-frères de Jonah remplissent la tombe de terre. Quand ils ont terminé, Jonah se jette sur le monticule et pleure comme un bébé. Maman lui caresse les cheveux. Je le hais. Il s'est saoulé pendant que Sara était malade. Si ça lui était égal alors, pourquoi fait-il semblant d'être malheureux maintenant ? Et pourquoi maman le console-t-elle ?

Je regarde les nuages en attendant que Jonah se calme. Il se lève et s'essuie les yeux avec sa cravate. Maman époussette sa veste et son pantalon, et nous allons rejoindre les convives à la maison.

Quand nous arrivons, la cour est pleine de gens qui discutent autour d'un ragoût de chèvre, accompagné de pain au maïs. M. Bateman a distribué nos programmes funéraires. Sur la couverture, on voit une photo de Sara dans son cercueil, et on peut lire un verset d'Évangile : « Laissez venir à moi les petits enfants, car le royaume des cieux est à eux. »

Le prêtre invite la foule à se taire. Il fait un petit discours et se tourne vers maman, qui remercie chacun d'être venu. Après cela, d'innombrables hymnes s'élèvent, dirigés par Mme Tafa, qui se prend pour une diva. La cour retentit de chants et d'applaudissements. On nous embrasse, on nous étreint et on nous cajole. Puis tout devient flou. Lorsque je sors de ma torpeur, nos visiteurs sont partis ; sauf Esther, qui est restée pour ranger, et M. Bateman, qui démonte son barnum.

Tout le monde s'est remis en route. Tout le monde sauf Sara. Son temps s'est arrêté. Elle est seule dans la terre. Elle a un an et demi pour toujours.

13

Au milieu de l'après-midi, il fait si chaud que l'air est irrespirable. La journée devrait être terminée, mais elle ne l'est pas. Nous devrions être en train de nous reposer à l'ombre, maman et moi, mais nous n'y sommes pas. Nous attendons au bord de la route, avec Tante Lizbet, le pick-up qui la reconduira à Tiro. Maman et sa sœur sont coiffées de larges chapeaux de paille et assises sur des chaises de cuisine. Je suis par terre, assise en tailleur, et je m'abrite la tête avec un vieux journal.

Trop lasses pour parler, nous nous éventons avec des assiettes en carton en écoutant le craquètement des cigales. Chaque seconde paraît durer une éternité. Nous étouffons des bâillements. Le silence est encore plus pesant que la chaleur.

Par intermittence, Tante Lizbet soupire et tapote du pied :

— Vous êtes folles de rester dehors à cause de moi.

— Non, non, ça nous fait plaisir, s'empresse de répondre maman.

Dommage qu'elle soit si polie ! Au moment où je m'apprête à bâiller à m'en décrocher la mâchoire, le pick-up surgit au détour de la rue. Maman aide Tante Lizbet à se mettre debout.

— Je suis contente que tu aies pu venir, lui dit-elle.

— J'ai le sens du devoir, répond sèchement Tante Lizbet.

Elle attend que le conducteur l'ait hissée sur le plateau et que le pick-up démarre pour cracher son venin :

— Ta Sara a payé un prix terrible.

— Quoi ? fait maman.

— Tu récoltes ce que tu as semé, ma sœur. Les enfants paient pour les péchés de leurs parents. Écoute la voix de tes ancêtres et repens-toi. Implore le pardon de ceux que tu as déshonorés.

Le pick-up accélère et disparaît dans un nuage de poussière ; maman titube jusqu'à sa chaise. Je devine qu'elle préférerait rester seule, mais je ne peux me résoudre à la quitter. Je m'accroupis près d'elle.

— Ça va ?

— Bien, chuchote-t-elle.

— Qu'est-ce qu'elle a voulu dire ?

— Rien.

Maman ferme les yeux et lève une main.

— S'il te plaît, maman, regarde-moi ! Ne fais pas comme si je n'étais pas là.

Elle obéit, et je continue sur ma lancée. Les mots sortent de ma bouche tel un liquide débordant d'un récipient.

— Pourquoi Tante Lizbet nous déteste-t-elle ? Pourquoi notre famille nous hait-elle ?

— Ils ne nous haïssent pas.

— Si ! Ils ne sont pas venus à l'enterrement. Pourquoi ? Je connais leurs excuses, mais pourquoi ? Et pourquoi est-on restées ici après la mort de papa ? Pourquoi n'est-on pas rentrées à Tiro ?

— Je suis trop fatiguée pour discuter.

— Je ne veux pas discuter, je veux savoir. Qui a été déshonoré ? C'était quoi, ce péché ?

— Tu poses trop de questions.

— J'ai le droit de savoir.

— Je te le dirai quand tu seras plus vieille.

— C'est ce que tu m'as dit quand papa est mort. Eh bien, voilà ! Je suis vieille, maintenant. J'ai seize ans. Quand tu avais seize ans, tu étais mariée et tu avais des enfants !

Maman détourne le regard. Je lui enlace la taille. Elle prend délicatement ma tête entre ses mains et me berce. Je resserre mon étreinte. Lorsque j'ai enfin retrouvé mon calme, elle me dit la vérité :

— Ils nous haïssent parce qu'ils sont persuadés que je leur porte malheur. Ils disent que ton père et moi, nous les avons déshonorés.

Elle parle tout bas, mais ses mots sont puissants et clairs ; cette histoire a dû rouler à l'intérieur de sa tête si longtemps qu'elle s'est polie comme un galet. Elle m'apprend que le drame remonte à vingt-cinq ans. Ses parents — Grand-mère et Grand-père Thela — étaient alors amis avec les Malunga, qui possédaient la ferme voisine. Les deux familles avaient convenu que maman épouserait le fils aîné des Malunga, Tuelo.

Si Tuelo était beau et fort, il laissait maman indifférente : elle aimait papa. À une fête de la moisson, ils s'étaient sauvés ensemble, pour aller se réfugier dans la ferme des parents de papa. Le père de maman et les Malunga s'étaient alors armés de torches et de machettes, bien décidés à tuer la famille de papa pour ramener maman à la maison.

Par bonheur, M. Malunga avait trouvé un moyen de sauver la face et d'éviter un bain de sang. Il avait suggéré que Tuelo choisisse en remplacement l'une des deux sœurs cadettes de maman. Le montant de la dot serait doublé, mais elle serait payée par la famille de papa, en têtes de bétail.

Si des vies ont été sauvées, elles n'en ont pas moins été transformées. Papa a dû travailler dur pour réapprovisionner en bétail la ferme de ses parents, d'autant plus dur que maman n'avait rien. Ses frères n'ont pas tardé à le prendre pour leur esclave. Au bout de seize ans, lassé de ce traitement, il leur a dit qu'il pensait avoir payé sa dette et a demandé sa part de la récolte. Ses frères ont refusé, et c'est pourquoi nous sommes venus à Bonang.

La famille de maman n'a pas été épargnée non plus. Ses deux sœurs cadettes étaient mes tantes Lizbet et Amanthe[1]. Tante Lizbet, l'aînée, s'attendait à ce que Tuelo la choisisse, ce qui faisait bien son affaire, car elle était secrètement amoureuse de lui. Mais Tuelo a préféré prendre Amanthe pour épouse.

Lizbet prétend que c'est pour cela qu'elle ne s'est jamais mariée. Maman est trop gentille pour la contre-dire. Si vous voulez mon avis, la véritable raison, c'est que ma tante est née avec un pied-bot. Pour construire des cases, aller chercher de l'eau à la fontaine et courir après les enfants, une femme a besoin de ses deux pieds, surtout dans une ferme. Les hommes de Tiro avaient tout simplement du sens pratique. Ou alors, ils n'avaient pas envie d'épouser un crapaud comme elle. Ce sont des vérités difficiles à avaler pour Tante Lizbet, qui préfère reprocher à maman d'avoir gâché sa vie. Est-ce que la

---

1. Amanthe signifie « belle », en setswana.

malchance rend les gens malheureux, ou est-ce que les gens malheureux portent la poisse ?

En tout cas, presque aussitôt après le mariage, Amanthe est tombée enceinte. Au moment de l'accouchement, le bébé est resté coincé à l'intérieur, et il a fallu couper le ventre de ma tante pour le faire sortir. Finalement, Amanthe s'est vidée de son sang et le bébé était mort-né. À leur enterrement, tout le monde a évité maman. Tante Lizbet lui a dit ce que chacun pensait : « Ç'aurait dû être toi. »

À compter de ce jour, dès que quelque chose tournait mal, on reprochait à maman d'avoir fait honte à ses parents et déshonoré ses ancêtres. Mes grands-parents Thela ont fait venir des sorciers à la ferme pour tenter d'en chasser le malin, mais le péché de maman était trop grand, et, chaque fois qu'un problème surgissait, on l'accusait de nouveau.

Elle me caresse les cheveux :

— Voilà pourquoi on n'est pas retournés à Tiro. Je n'aurais jamais pu vivre dans un endroit où les gens pensent qu'on avait mérité ce qui nous arrivait.

Nous nous taisons un long moment. Puis je lui demande :

— Grand-mère et Grand-père Thela ne croient pas vraiment aux sorciers, n'est-ce pas ?

Maman réfléchit longuement.

— Il y a ce que les gens croient dans leur tête..., dit-elle en se frappant légèrement la tempe, et il y a ce qu'ils croient dans leur cœur, ajoute-t-elle en se tapotant la poitrine.

Je baisse les yeux, mais maman prend mon visage entre ses mains.

— Tout le monde croit en quelque chose. Eh bien, voilà ce que, *moi,* je crois : l'amour n'est pas un péché. Ce que nous avons fait, ton père et moi, c'était bien. Cela t'a permis de voir le jour. Et je ne reviendrais en arrière pour rien au monde.

Deuxième partie

14

Le jour ne va pas tarder à se lever. Je suis assise par terre, au pied du lit de maman. J'y viens chaque nuit depuis trois mois, depuis l'enterrement.

Trois mois. Il me semble parfois que Sara nous a quittés hier, et, l'instant d'après, que cela fait des siècles. De retour à la maison, après l'école, je m'attends toujours à la voir. Ma tête sait qu'elle est partie, mais mon cœur, c'est une autre affaire.

Tout a changé. Avant, je connaissais le moindre détail du visage de Sara. À présent, c'est à peine si je la reconnais sur le Polaroïd que M. Bateman a fait d'elle, dans son cercueil. Il ne lui ressemble pas. Ou peut-être que si ! Je ne sais plus. Pourquoi suis-je incapable de m'en souvenir ? Qu'est-ce qui m'arrive ?

Mes amis ne m'aident pas. Chaque fois que j'ai l'impression d'aller mieux, il y en a un qui me lance : « Comment ça va ? », et la douleur déferle de nouveau sur moi. Ça me rappelle quand j'étais dans le Nord, dans le delta, et que j'apprenais à diriger un mokoro [1] entre les roseaux de la rivière avec une perche. À la seconde où je me détendais, je butais dans un tas de racines et je chavirais.

— Les gens qui te demandent comment tu vas ne sont pas tes amis, me dit Esther. Ce sont des gratteurs de croûtes. Des curieux qui adorent rouvrir les blessures. Ce qu'ils veulent, au fond, c'est s'assurer que tu es mal, pour se sentir plus forts.

— Ce n'est pas juste.

— C'est vrai.

Le pire, c'est la nuit. Je fais des rêves horribles : Sara est mourante, mais elle va guérir si je la conduis immédiatement à l'hôpital. J'essaie en vain de l'attacher dans le panier de ma bicyclette : elle tombe à chaque fois et, quand je la ramasse, elle me glisse entre les mains. Le temps file, Sara meurt, et c'est ma faute.

Je me réveille en nage. Je ne me sens toujours pas bien. Je me tourne et me retourne sur mon matelas, en proie à une véritable panique. Je m'interroge sur le temps, sur le sens de la vie. Ou alors, je me torture en pensant à Sara. « Pourquoi l'ai-je détestée quand elle

---

1. Mokoro : une sorte de pirogue africaine traditionnelle.

criait ? Pourquoi ai-je prié pour qu'elle arrête ? Pourquoi ne l'ai-je pas bercée plus souvent ? A-t-elle pensé que je ne l'aimais pas ? Que je ne prenais pas soin d'elle ? Est-ce pour cela qu'elle est morte ? Est-ce ma faute ? » Mon cerveau me fait si mal que j'ai envie de m'arracher la tête. Alors, je me lève et je vais m'asseoir près de maman.

Je l'ai fait pour la première fois juste après l'enterrement. Maman ne dormait pas non plus ; elle était assise dans son rocking-chair.

« Retourne dans ton lit, m'a-t-elle conseillé. Tu te sentiras mieux après une bonne nuit de sommeil.

— Et toi, pourquoi tu ne vas pas te coucher ?

— J'attends Jonah.

— Qu'est-ce qui te fait croire qu'il va rentrer ?

— Ne parle pas comme ça.

— Comme quoi ?

— Tu le sais très bien. »

Je n'ai rien ajouté mais j'avais vu juste : Jonah n'est pas rentré cette nuit-là, ni la suivante. En fait, il n'est revenu que trois fois après l'enterrement et, chaque fois, il était si saoul que je le soupçonne d'avoir atterri là par accident. Maman ne lui a jamais demandé où il était passé — je doute qu'il s'en soit souvenu, de toute manière. Elle l'a simplement pris par la main et l'a conduit dans la chambre.

Il m'est arrivé de le croiser en ville, en faisant des courses. Il jouait aux dés sur le trottoir, ou il gisait, le nez dans le caniveau. Je l'ai ignoré. Il manquait peut-être à maman. Moi, par contre, j'étais ravie de ne plus avoir à supporter ses scènes.

La dernière fois que je l'ai vu, cela s'est passé différemment. Je venais d'échanger nos œufs et nos légumes contre du lait et un peu de sucre à l'étal de Mister Happy, et je rentrais à la maison en longeant la voie ferrée. Les rails sont séparés de la route par un grillage surmonté de barbelés, destiné à empêcher les gens de passer. Pourtant, cette clôture ne suffit pas à dissuader les couples illégitimes, qui rampent sous le grillage pour aller fricoter dans les wagons désaffectés. La police vient régulièrement les déloger. Une heure après, il y a de nouveau affluence.

Ce jour-là, j'allais tourner dans une rue transversale quand j'ai aperçu Jonah et Mary de l'autre côté du grillage, qui se dirigeaient vers les wagons, bras dessus, bras dessous. C'était une chose de les voir se saouler ensemble au shebeen. Mais faire honte à maman en public, ça non !

Je me suis faufilée sous la clôture : « Hé, ho ! Vous deux ! »

Lorsqu'ils m'ont reconnue, leur premier réflexe a été de se cacher le visage et de changer de direction. Seulement, ils ne savaient où aller. Ils se sont emmêlé les jambes et se sont écroulés l'un sur l'autre.

J'ai braillé à l'intention de Jonah :

«Écoute, toi, si tu veux quitter ma mère, ne te gêne pas ! Aie au moins le cran d'aller lui dire.

— Ne parle pas à ton b-beau-père sur ce ton ! a bafouillé Mary.

— Je lui parlerai comme j'en ai envie, que ça te plaise ou non ! »

Je me suis retournée brusquement vers Jonah :

« Tu crois que tu peux t'en aller comme ça ? Tu t'en fiches que maman se fasse du souci ! Qu'elle souffre de ne pas savoir où tu es passé ! Tu t'en moques bien, hein, espèce de fumier !

— Tu manques pas de culot, ma fille ! a fulminé Jonah.

— Moi, j'ai du culot ? Tu te promènes avec ta salope en plein jour, et c'est moi qui ai du culot ? Papa n'aurait jamais quitté maman — jamais ! — et, s'il l'avait fait, il n'aurait pas disparu sans rien dire, comme si elle n'avait jamais compté pour lui. C'est toute la différence entre lui et toi. Papa était un homme. Toi, tu es un porc !

— T'as pas de leçons à me donner ! a-t-il beuglé. Je fais ce que je veux.

— Ha ! Tu parles. Tu fais ce que veut ta queue, oui ! »

Je lui ai fait un doigt d'honneur et me suis éloignée à grandes enjambées, horriblement gênée par ce que je venais de dire et de faire.

Après cet épidode, je ne l'ai plus revu. En fait, personne ne l'a revu : il a disparu pour de bon, et même Mary ignorait où il était. J'imagine que s'il était mort, on l'aurait appris, alors il doit être vivant. Peut-être qu'il est à la ferme de ses parents, ou qu'il a quitté Bonang pour aller se saouler ailleurs. Qui sait ?

Les gens parlent, évidemment. Une semaine après sa disparition, j'étendais du linge dans la cour avec maman quand Mme Tafa s'est approchée de la haie. « Où se cache ton homme, Lilian ? » a-t-elle crié.

Sa voix était tout miel – bien collante pour attraper des saletés. Celle-là, c'est la reine des gratteuses de croûtes !

« Oh, il va et il vient, a répondu maman sans se démonter, sans même faire tomber une pince à linge.

— C'est bien ce que je pensais, a dit Mme Tafa. Je n'ai pas voulu croire à ce qu'on raconte. »

« Qu'est-ce qu'on raconte ? » me suis-je demandé. Je suis sûre que maman s'est posé la même question, mais elle était trop fière pour la formuler.

« Ah, les ragots, les ragots…, s'est-elle esclaffée. Il y a de pauvres gens qui n'ont rien de mieux à faire que de les répandre…

— Ça, c'est bien vrai ! » a convenu Mme Tafa, l'air innocent.

Elle a fait allusion à sa bouilloire et s'est sauvée précipitamment. J'étais toute fière que maman l'ait remise à sa place. Je lui ai adressé un clin d'œil, qu'elle a fait mine de ne pas remarquer.

« Mes articulations me font vraiment souffrir aujourd'hui, m'a-t-elle dit en se massant les coudes. Tu veux bien terminer ? Il faut que j'aille m'allonger. Je vais peut-être prendre un peu de griffe du diable. »

Elle semblait perdue, soudain, comme si, tout au fond d'elle-même, elle venait seulement de comprendre que Jonah ne reviendrait pas.

À compter de ce jour, maman a cessé de veiller pour l'attendre. Certains soirs, elle arpente la maison ou erre dans le jardin, mais le plus souvent elle se recroqueville sur son matelas, un oreiller serré contre elle. Il lui arrive de ne pas se lever pendant plusieurs jours. Elle reste allongée, les yeux fermés, et se frotte les tempes.

La première fois, j'ai pris peur et j'ai voulu aller chercher un docteur.

Elle m'a saisi le poignet. « Certainement pas ! s'est-elle exclamée, les yeux étincelants. Je n'ai rien de grave, c'est juste une migraine. »

Puis elle est retombée sur son matelas.

J'ai fini par m'habituer à ses migraines. Elle a raison : il n'y a pas lieu de s'inquiéter. Si j'avais autant de choses à penser qu'elle, moi aussi, j'aurais des migraines. Alors, plutôt que de l'embêter avec le docteur, j'essaie de rester de bonne humeur et de faire les corvées à sa place.

Au chant du coq, je vais au poulailler, je nourris les poules et je ramasse les œufs. Après, je prépare le petit déjeuner, j'habille Iris et Soly, et je cuisine quelque chose pour le déjeuner. Il me reste ensuite une heure pour travailler dans le jardin, avant de partir à l'école. Si maman n'est toujours pas levée quand je reviens, je vais chercher de l'eau à la fontaine et je prépare le dîner. Le week-end, je m'occupe aussi de la lessive, du ménage, et je coupe du bois pour le feu.

Désormais, lorsque je m'assois près de maman la nuit, elle ne me demande plus d'aller me recoucher ; elle feint de ne pas me voir. D'ailleurs, elle s'est mise à faire semblant pour un tas de choses. Comme si tout était normal. Devant Iris et Soly, elle n'évoque jamais ni Sara, ni Jonah, ni ses migraines. Croit-elle pouvoir ainsi nous convaincre que tout va bien et nous rendre heureux ?

Si c'est ce qu'elle pense, elle se trompe.

Soly a recommencé à mouiller son lit. Le soir, il est mort de honte quand je le lange avec une serviette éponge et que je passe ses jambes dans un sac en plastique. Iris s'est montrée étonnamment gentille, pour quelqu'un qui dort dans le même lit. Elle ne l'a traité qu'une seule fois de bébé.

Cela dit, elle est méchante à d'autres occasions. Soly attend toute la matinée qu'elle revienne de l'école maternelle pour jouer avec elle, et elle lui fait de vilaines farces : elle lui propose de jouer à cache-cache, et une fois qu'il est caché, au lieu de le chercher, elle se sauve et va traîner dans le quartier. Soly finit par sortir de sa cachette en pleurant. Quand je rentre du lycée, je pars à la recherche de ma sœur.

Ce n'est pas facile. Iris peut être n'importe où : au terrain de jeux, à la carrière, dans l'entrepôt du ferrailleur au bout de la rue...

— Est-ce que tu es folle ? la gronde maman quand je la ramène en la traînant par la main. Cet entrepôt est un endroit dangereux. Il est plein de vieux réfrigérateurs et de coffres. Si tu te retrouves enfermée à l'intérieur, tu risques de mourir étouffée. Et, dans la carrière, tu peux te casser le cou.

Ça entre par une oreille et ça ressort par l'autre. Le lendemain, Iris recommence.

Hier, je l'ai retrouvée tout au fond de l'entrepôt, derrière un tas de pneus de vélo, penchée par-dessus la margelle d'un puits abandonné. Je l'ai attrapée par le bras.

— Qu'est-ce que tu fabriques ?

— Je joue avec Sara.

— Arrête de mentir ! Sara n'est pas là, et tu le sais.

— Si, elle est là. C'est ici qu'elle habite.

— Où ?

— Sara ne veut pas que je le répète. Elle dit que c'est un secret.

Je m'accroupis et je la prends par les épaules :

— J'ignore qui tu as vu, mais je suis sûre que ce n'est

pas Sara ! Sara est un ange. Elle ne voudrait jamais que tu te fasses mal.

— Tu dis n'importe quoi ! Toi et maman, vous n'aimez plus Sara. Vous voulez qu'elle s'en aille.

— Non, ce n'est pas vrai !

Iris se bouche les oreilles.

— Si si si si si si si ! crie-t-elle. Et, si Sara part, je m'en irai avec elle.

Si je croyais aux esprits, je jurerais qu'Iris est possédée. Mais je n'y crois pas. En cours d'anglais, M. Selamame nous parle souvent du surnaturel ; il compare nos guérisseurs aux sorciers d'autres pays. Selon lui, il existe des superstitions partout dans le monde ; en Occident, par exemple, certains jouent des nombres porte-bonheur à la loterie, parce qu'ils sont persuadés qu'un numéro fétiche peut les rendre riches. « Les superstitions permettent aux gens de donner du sens à ce qu'ils ne comprennent pas », conclut M. Selamame.

Il a sans doute raison ; n'empêche que, lorsque Iris parle de sa compagne imaginaire, je murmure une prière pour la préserver des esprits malfaisants. Je me sens un peu bête, mais à quoi bon prendre des risques ? S'il y a vraiment un mauvais esprit, je suis terrifiée à l'idée qu'il pourrait emmener Iris. Surtout s'il vient la trouver pendant la nuit.

15

Quand maman se sent d'attaque, nous passons géné-
ralement le dimanche matin à parcourir le « cercle de la
mort ». C'est le nom qu'Esther a donné aux cimetières
qui entourent Bonang.

Nous partons à l'aube dans le pick-up des Tafa.
Mme Tafa conduit, pendant que son mari garde Iris et
Soly à la maison. Il les laisse jouer dans la boue et leur
propose de réparer des trous imaginaires dans les murs
de ses dépendances. Soly dit que, lorsqu'il sera grand, il
fabriquera des maisons, comme M. Tafa. Iris lève les
yeux au ciel : elle veut devenir contremaître et donner
des ordres.

Maman craint que les petits ne dérangent M. Tafa.

— Mais non, lui dis-je pour la déculpabiliser. Il les
adore. En plus, il doit apprécier d'être débarrassé de sa
femme. Et il doit être ravi de ne pas la voir conduire.

Maman s'esclaffe :

— Chanda, tu ne devrais pas dire des choses pareilles !

Je ris à mon tour :

— Pourquoi pas ? C'est la vérité. S'il la voyait rouler à toute allure avec le pick-up de sa société, il aurait une crise cardiaque.

Je n'exagère pas : au volant, Mme Tafa est un danger public. Elle est tellement occupée à extraire des bonbons du sac posé sur ses genoux qu'elle regarde à peine la route. Et, quand elle le fait, c'est pour sortir la tête par la fenêtre et houspiller les conducteurs qu'elle a failli emboutir. Elle prend les virages à une telle vitesse que je ne serais pas étonnée qu'on s'envole pour la Lune.

J'ai sans doute tort de me plaindre : on a la chance que nos parents soient enterrés dans les mêmes cimetières que ceux de Mme Tafa, et qu'elle accepte de nous y conduire. Autrement, nous ne pourrions jamais y aller. On n'a pas les moyens de prendre un taxi, les autobus sont rares, et maman n'a plus assez de forces pour se déplacer à bicyclette. J'envie les familles blanches qui dirigent les mines de diamants et se paient des concessions dans le cimetière du centre-ville, avec des pierres tombales en marbre, un jardinier, et assez d'espace pour que tous leurs parents soient réunis.

Nous faisons notre première halte dans le cimetière où sont enterrés papa, mes frères et le premier mari de

Mme Tafa. Il est situé près de la mine et, au début, on y venait chaque dimanche. Après quelque temps, cependant, nous avons commencé à sauter une semaine, puis deux... jusqu'à ne plus y aller que pour les grandes occasions. Je suis contente d'y retourner. On a beau dire : « La vie continue », c'est affreux de quitter les gens qui vous ont aimés, même si on les fait revivre dans nos histoires.

Papa et mes frères sont enterrés assez loin de la route. Avant, maman me prenait la main pour marcher sur le chemin accidenté. Maintenant, elle utilise une canne que lui a donnée Mme Tafa, qui la tenait d'un de ses locataires. Le pommeau sculpté ressemble à un aigle. Maman la trouve si belle qu'elle l'emmène partout, même à l'épicerie.

« Fais attention, lui dis-je. Les gens vont te prendre pour une vieille dame.

— Arrête de raconter des bêtises ! »

Arrivées aux sépultures, nous disons quelques prières, puis je ratisse le sol pendant que maman et Mme Tafa échangent leurs souvenirs du temps de la mine. Maman est trop fatiguée pour rire comme avant – même quand Mme Tafa raconte l'histoire de papa avec les haricots rouges ! –, alors elle se contente de sourire.

M. Dube et une sœur de Mme Tafa reposent dans le deuxième cimetière. Là aussi, nous prions et nous nettoyons. Puis nous roulons jusqu'au cimetière de Sara, où est également enterré Emmanuel, le fils de Mme Tafa. À peine avons-nous passé la barrière, que Mme Tafa se raidit. Elle essuie les miettes autour de sa bouche, tourne à droite et entonne un chant d'adieu de son village.

La tombe d'Emmanuel se voit de loin, car M. Tafa lui a construit un moriti, sur un socle en briques. Chaque dimanche, Mme Tafa ouvre le portail miniature et ajoute une nouvelle fleur en plastique emballée dans de la cellophane. Il n'y a pas si longtemps, la tombe croulait sous les fleurs, mais, le mois dernier, des vandales ont déchiré à la machette la toile qui couvrait le moriti et les ont toutes volées.

Quand elle a vu ça, Mme Tafa n'a pas trouvé la force de descendre du pick-up. Elle est restée assise derrière le volant en sanglotant : « Pourquoi ? Mais pourquoi ? »

Son expression m'a fait regretter toutes les horreurs que j'avais pu penser à son sujet.

Maman l'a prise dans ses bras, comme je l'aurais fait avec Esther.

« Ce n'est pas si grave, Rose, a-t-elle dit pour la réconforter. Emmanuel a toujours été si généreux, je suis sûre qu'il est content que ses fleurs profitent à de pauvres âmes démunies. »

Après avoir prié pour Emmanuel, nous rendons visite à Sara. La terre de sa tombe s'est à peine tassée, et le numéro de parcelle peint sur sa brique est encore brillant.

Maman et moi ne pouvons pas lui acheter de fleurs artificielles ; en revanche, lorsque nous croisons un buisson en fleurs, nous en cassons une branche pour la lui offrir. Ou alors, on écrit un poème sur un morceau de papier qu'on laisse sous une pierre. Ce n'est pas grand-chose, mais c'est mieux que rien.

Une fois que maman a terminé, elle remonte dans le pick-up avec Mme Tafa, et je récupère mon vélo sur la plate-forme. Tandis qu'elles rentrent à la maison se préparer pour la messe, je vais rejoindre Esther sur la tombe de ses parents, une vingtaine d'allées plus loin. Elle y va tous les dimanches et m'y attend. Comme elle ne fréquente plus beaucoup le lycée, c'est presque le seul endroit où nous sommes sûres de nous croiser. Je pourrais aller chez elle à bicyclette, mais elle me l'a interdit, prétextant que son oncle et sa tante en profiteraient pour l'humilier.

Avant, Mme Tafa me conduisait en voiture jusqu'à la tombe des Macholo. Elle garait le pick-up au bord de l'allée et patientait à l'intérieur avec maman, pendant que je priais avec Esther. Le problème, c'est qu'elle faisait systématiquement des remarques désagréables sur la tenue vestimentaire de mon amie.

« Elle ne respecte rien, pas même ses pauvres parents, disait-elle. Regardez-moi cette petite souillon. On dirait qu'elle va au bal ! »

Un jour, j'en ai eu assez. De retour à la maison, j'ai dit à maman : «Ne demande plus à Mme Tafa de me conduire à la tombe des Macholo. J'emporterai mon vélo et j'irai toute seule. »

Maman a froncé les sourcils :

«Tu ne seras jamais rentrée à temps pour la messe.

— C'est plus important pour moi d'être avec Esther. »

Maman a paru soucieuse. Elle m'a fait asseoir près du baquet :

«Je sais qu'Esther est ton amie. Je sais que vous vous connaissez depuis qu'on est arrivés à Bonang. Mais je pense que tu ne devrais pas la voir aussi souvent. »

J'ai eu un haut-le-cœur : «Je la vois à peine ! »

Maman a ignoré ma protestation :

«J'aime bien Esther, c'est une gentille fille. Le problème, c'est que les gens racontent des choses…

— Tu veux dire que Mme Tafa raconte des choses.

— Je veux dire *les gens*. »

J'ai regardé mes pieds.

«Quel genre de choses ? ai-je demandé, comme si je ne le savais pas.

— Des choses à propos des garçons.

— Esther flirte, c'est tout ! »

Maman a fait une pause.

«Chanda, nous sommes jugés à nos fréquentations. Je ne veux plus que tu sois amie avec Esther. Je détesterais que les gens disent du mal de toi. »

J'étais en sueur. Même mes poignets et mes genoux étaient moites. «Maman, l'ai-je implorée, ce n'est pas toi qui parles, je le sais. Tu te moques bien de ce que les gens racontent. Sinon, tu ne te serais jamais sauvée avec papa. »

Maman m'a pris les mains.

« C'est différent, a-t-elle murmuré. Tu es mon bébé. Je m'inquiète pour toi.

— Maman, Esther n'a plus personne. Si j'arrête de la voir, je ne pourrai plus me regarder en face. »

Maman n'a rien répondu. Elle a inspiré profondément et m'a serrée dans ses bras si longtemps et si fort que j'ai cru qu'elle ne relâcherait jamais son étreinte. Elle savait que j'avais raison. Je ne peux pas abandonner Esther. Elle est seule, maintenant que ses frères et sa sœur sont partis.

Ce n'est la faute de personne, mais Esther en veut malgré tout à ses tantes et ses oncles. Après la visite du docteur au chevet de sa maman, Esther a sollicité leur aide. Le frère aîné de son père, Kasigo Macholo, a parlé pour la famille. Il a dit qu'ils enverraient de la nourriture et ce qu'ils pourraient, mais qu'ils vivaient trop loin pour les aider autrement. En revanche, sa tante et son oncle Pokolo, du côté de sa mère, habitaient tout près, dans un quartier de Bonang encore plus pauvre que le nôtre.

La première fois que j'ai vu les Pokolo, il m'a paru évident qu'ils détestaient la famille d'Esther. Elle prétend qu'ils étaient jaloux du travail de son père à la mine. La maladie ne les a pas rapprochés. Son oncle a coupé un peu de bois, sa tante a préparé quelques repas, mais les gants en caoutchouc les effrayaient et ils ne sont jamais entrés dans la maison. Ils restaient assis dans la cour et priaient.

Esther s'est chargée de tout, jusqu'à l'enterrement. Puis la famille est arrivée au grand complet. Après les funérailles, ils se sont réunis dans la pièce principale, pour décider qui prendrait en charge Esther, ses frères et sa sœur. Ils ont discuté pendant des heures.

J'ai attendu dehors avec Esther que son oncle Kasigo l'invite à entrer. Aussitôt la porte refermée, je me suis assise sous la fenêtre et j'ai écouté les voix qui filtraient par les volets. Les tantes et les oncles d'Esther ont essayé de la ménager, car la vérité était dure à entendre :

« Aucun de nous n'a les moyens de vous prendre tous, a dit l'oncle Kasigo. Nous arrivons déjà à peine à nourrir nos propres enfants. Cependant, il y a un oncle et une tante pour chacun de vous.

— Non ! s'est écriée Esther. On doit rester ensemble. On est une famille.

— Nous sommes tous une famille, a répondu son oncle Kasigo.

— Je sais, mais mes frères, ma sœur et moi, on a besoin les uns des autres. Si personne ne peut nous prendre tous, c'est moi qui m'occuperai d'eux.

— Et comment feras-tu ? La mine reprend la maison, la maladie et les enterrements ont mangé toutes vos économies, et vous n'avez rien à vendre, à part un peu de vaisselle et quelques meubles. Où allez-vous vivre ? Que mangerez-vous ? Où trouverez-vous l'argent pour payer les vêtements, les chaussures, les médicaments, l'école...? »

Esther n'avait pas de solution. Il n'en existait pas. Alors sa famille s'est retrouvée éparpillée.

Un de ses frères est allé chez son oncle Kasigo, l'autre chez un oncle qui cherchait justement un berger. Sa petite sœur a été placée chez une tante souffrant de cataracte, qui avait besoin qu'on l'aide à coudre. Sa famille savait que les parents d'Esther souhaitaient qu'elle termine ses études. Comme le meilleur lycée était à Bonang, et comme elle avait plus de chances de trouver à se marier dans des familles qui la connaissaient déjà, Esther a atterri chez sa tante et son oncle Pokolo. Ils ne voulaient pas d'elle, mais ils n'ont pas pu refuser.

Le soir du départ de ses frères et sœur, je suis restée avec Esther. Les petits s'agrippaient à elle en hurlant, et les oncles et tantes ont dû les détacher de force. Si l'on m'arrachait ainsi Soly ou Iris, je crois que j'en mourrais.

Ça me révolte de penser à la vie d'Esther chez les Pokolo. Au lieu de l'envoyer à l'école, ils la traitent comme une servante. Quand elle a fini de faire la cuisine, le ménage et le jardinage, elle doit s'occuper de ses neveux et nièces. Ils sont six, et ont tous moins de dix ans. Ils la battent, la griffent et l'insultent, et, si elle se défend, ils hurlent qu'elle leur fait mal, et sa tante la frappe avec une poêle à frire.

Lorsqu'elle se plaint, son oncle se fâche. « Tu te prends pour quelqu'un d'important, comme ton père et ta mère avec leur eau courante et leur chasse d'eau ! braille-t-il, mais tu ne vaux pas mieux que nous. Tant que tu vivras sous notre toit, tu feras ce qu'on te dira ! »

Chaque fois que l'occasion se présente, Esther s'enfuit. En semaine, c'est difficile. Son oncle répare des chaussures sur le trottoir, devant « Quality Fashions », et sa tante travaille à temps partiel au KFC [1]. Esther doit attendre qu'ils soient tous les deux sortis pour prendre la poudre d'escampette, en espérant que les petits monstres ne rapporteront pas.

Le dimanche, elle s'échappe plus facilement. Toute la famille assiste à la messe au Bethel Gospel Hall. Au début, ils exigeaient qu'Esther les accompagne, mais elle

---

1. KFC : Kentucky Fried Chicken, un fast food.

refusait de chanter les hymnes et de prier ; désormais, ils la laissent à la maison, après avoir exigé qu'elle nettoie la cour pour se laver de ses péchés. Bien entendu, elle n'obéit jamais. Elle file au cimetière pour être avec son père et sa mère. Et avec moi.

On a du temps devant nous, car la messe du Bethel Gospel est la plus longue de toute la ville. Du matin de bonne heure jusque tard dans l'après-midi, les fidèles chantent, dansent et parlent dans une langue incompréhensible. Il arrive même que certains entrent en transe.

Quand sa mère était malade, Esther a eu droit à un spectacle dans sa propre cour. Les Pokolo ont débarqué avec leur congrégation pour pratiquer un exorcisme. J'aidais mon amie à s'occuper de sa mère lorsqu'ils sont arrivés au bout de la rue en dansant au rythme des tambourins, dans un froufrou d'étoffes colorées. On aurait cru un défilé de cirque.

Le prêtre a fait tout un foin sur les thèmes du péché et de la maladie : « C'est Satan qui a apporté le malheur dans cette maison ! » Il a brandi une boîte de conserve contenant de l'eau bénite mélangée à de la cendre de mopane, affirmant que le malin quitterait la maison et que Mme Macholo guérirait si elle venait jusqu'à la porte pour boire sa mixture. Esther a expliqué que sa maman ne pouvait pas bouger, et encore moins venir à la porte : elle était mourante. « C'est le diable qui vient de parler !

a clamé le prêtre. Avec l'aide du Seigneur, rien n'est impossible. »

À peine ces mots prononcés, l'Esprit a pris possession de lui. Le prêtre s'est alors introduit dans la maison et a voulu forcer Mme Macholo à boire l'eau bénite. Esther s'est sentie salie. Je n'ose même pas imaginer ce que sa maman a ressenti. D'une certaine façon, le prêtre lui reprochait de mourir.

Depuis ce jour-là, Esther ne prie plus et refuse de chanter des cantiques. Un dimanche, au cimetière, elle était assise sur la tombe de sa mère quand elle s'est levée brusquement et s'est écriée :

« Si le Seigneur pouvait sauver mes parents et qu'il ne l'a pas fait, je le hais ! S'il ne pouvait pas le faire, c'est un bon à rien. Les prêtres et les dames d'Église devraient aller en enfer.

— Arrête ! me suis-je exclamée. Tu ne penses pas ce que tu dis ! Toutes les églises ne sont pas comme celle de ton oncle et ta tante. Nos prêtres parlent de bonheur, de paix et d'amour éternel. »

Esther a grimacé :

« Bla, bla, bla ! Tout ça, c'est du charabia pour les superstitieux.

— Ce n'est pas vrai.

— Si, c'est vrai. Les prêtres ne valent pas mieux que les guérisseurs. La seule différence, c'est que tu crois les uns, et pas les autres. »

Ça m'ennuie qu'Esther réagisse ainsi, mais je m'interdis de la juger. Je pense que Dieu ne la juge pas non plus, pas après ce qu'elle a vécu. Elle n'a plus ni maison, ni famille, ni foi. Pas étonnant qu'elle aime poser pour des photos place de la Liberté. C'est sa façon à elle d'exister.

16

Ce dimanche, comme d'habitude, Esther est là avant moi. Elle m'attend en rêvassant, allongée sur la tombe de sa mère, vêtue du pantalon vert tilleul qu'elle a déniché au bazar. Il est sale et déchiré, mais je ne m'en aperçois pas tout de suite. Je remarque d'abord son œil droit, fermé, violet et tuméfié.

Je saute de mon vélo et je me précipite vers elle :

— Qu'est-ce qui t'est arrivé ?

Esther lève les yeux et me regarde avec un sourire de travers :

— Ma tante m'a jeté son fer à repasser à la tête, hier soir.

— Pourquoi ?

Elle explose de rire :

— Elle m'a demandé de repasser le linge. Je lui ai dit de se le mettre où je pensais.

— Ce n'est pas drôle. Ils t'ont déjà battue. La prochaine fois, appelle la police.

— Arrête de dire des bêtises, répond Esther en s'étirant. Ma tante dira que je mens, et mon oncle me donnera une autre raclée. Ou alors, ils me jetteront à la rue. Et, là, je ne sais pas ce que je ferai...

— Tu viendras vivre avec nous.

Esther grogne :

— Ça ne plairait pas à ta mère.

— Ce n'est pas vrai, mens-je.

— Mais si, c'est vrai ! D'ailleurs, je n'ai pas envie d'en parler.

Elle entame une roue. Je bondis de côté pour l'éviter :

— Tu es pire que Soly et Iris réunis !

— J'espère bien, dit-elle, en essayant de cligner de l'œil.

Nous marchons jusqu'à notre endroit préféré : une souche d'arbre déraciné, abandonnée dans un virage, non loin de là. Chemin faisant, on ramasse des galets bien lisses, puis on s'installe à plat ventre sur la souche et on les lance à tour de rôle dans un nid de poule, près du bord opposé du virage. C'est un jeu que nous avons inventé il y a des semaines. Au début, on pensait avoir rempli le trou d'ici la saison des pluies, mais, au rythme où on va, je n'en suis plus si sûre.

Je raconte à Esther ce qu'Iris m'a confié la veille, quand elle a prétendu avoir joué avec Sara.

— Si tu veux mon avis, vous devriez l'amener sur sa tombe, suggère Esther.

Elle envoie un caillou en plein dans le mille.

— Je suis sérieuse, insiste-t-elle sans me laisser le temps de répondre. Si elle voyait où Sara est enterrée, ça rendrait les choses plus réelles pour elle, et peut-être que son amie imaginaire disparaîtrait.

Un second caillou atteint sa cible.

— Maman pense qu'elle n'est pas assez vieille, dis-je

— Si on écoute les adultes, on n'est jamais assez vieux pour rien. Sans moi, mes frères et ma sœur demanderaient encore si papa et maman vont bientôt rentrer à la maison.

Son troisième caillou fait mouche, et Esther plisse le front. Son corps est toujours avec moi, mais son esprit est ailleurs. Nous restons quelque temps assises en silence. Esther pense et je la regarde penser.

— Tu as des nouvelles de tes frères ? finis-je par lui demander.

Elle secoue la tête :

— Il n'y a pas le téléphone dans les fermes.

Puis, détournant le regard :

— De toute manière, c'est mieux comme ça. Je déteste quand ma petite sœur vient en ville avec ma tante aveugle. Quand elles repartent, elle s'accroche à mon cou en pleurant : « Garde-moi avec toi ! » Je lui explique que je ne peux pas, mais elle ne comprend pas... Enfin, ça va changer. J'ai un plan. Dans un an, au maximum, on sera réunis.

— Comment tu comptes faire ?

— C'est un secret.

— Dis-le-moi.

Coupant court à la conversation, Esther lâche un sifflement et retourne en courant vers la tombe de ses parents :

— La première arrivée aux vélos !

— Ce n'est pas juste ! Tu es partie avant !

On salue ses parents et on entame notre long périple jusque chez nous. Au carrefour où nos chemins se séparent, on s'arrête pour échanger encore quelques mots, juchées sur nos bicyclettes, en gardant l'équilibre de la pointe du pied. On parle de tout et de rien quand Esther lâche :

— Je suis désolée que ta maman ne se sente pas bien.

— Qui t'a dit qu'elle ne se sentait pas bien ?

— Personne, répond prudemment Esther. J'ai vu qu'elle utilisait une canne.

— Ce n'est pas une canne. C'est un bâton de marche !

— Appelle-le comme tu veux. N'empêche qu'elle s'en sert tout le temps.

— Et alors ? C'est pour éviter de se tordre la cheville. C'est plein de caillasses, ici. En plus, ça lui plaît.

Esther marque une longue pause.

— Je ne te poserai cette question qu'une seule fois, commence-t-elle, et, je t'en prie, ne la prends pas mal...

Tu es ma meilleure amie, je t'aime et je ne veux pas qu'il arrive malheur, et...

— Et, et, et ! Qu'essaies-tu de me dire ?

Esther baisse les yeux. Elle joue avec ses bagues :

— Est-ce que ta maman a fait un testament ?

L'espace d'une seconde, j'ai le souffle coupé.

— Alors, elle en a un ? reprend Esther.

— Pourquoi tu me demandes une chose pareille ?

— Sans raison.

— Maman va très bien.

Mes paumes sont moites et collent au guidon.

— C'est bon, je te crois, dit Esther. C'est juste que... s'il y avait un accident, ou je ne sais quoi, qui aurait la maison ? Qui aurait le jardin ?

— Arrête ! Ça porte malheur de parler de la mort et de testament.

— C'est ce que disaient mes parents.

— Quel rapport avec ma mère ?

Je m'essuie les mains sur ma jupe.

— Aucun, répond Esther. Je me rappelle ta tante Lizbet, à l'enterrement de Sara... J'espère que le reste de ta famille est plus gentil.

— Tais-toi, Esther ! Je te déteste !

Je la frappe violemment. Elle bascule en arrière et se retrouve par terre.

— Je suis désolée ! dis-je en gémissant, sidérée par ce que je viens de faire.

J'aide Esther à se relever. Elle a les mains égratignées, et je suis certaine qu'elle aurait envie de se battre, or elle n'en fait rien. Elle examine son coude, où perle un filet de sang. Je lui tends un mouchoir, mais elle le refuse. Elle enfourche sa bicyclette et me quitte sans un mot.

— Esther, attends-moi !

Je pédale à toute vitesse pour la rattraper :

— Ne t'en va pas avant de m'avoir dit que tu n'es pas fâchée !

Elle freine brusquement. Son vélo dérape sur les gravillons et s'arrête en travers de la route :

— C'est bon ! Je ne t'en veux pas, Chanda. Tout va bien. Voilà, tu es contente ? Alors, maintenant, laisse-moi seule.

17

Je déteste me disputer avec Esther. Quand elle est fâchée, ça peut durer des siècles, et elle refuse de s'excuser, même si elle est en partie responsable.

Avant, on ne se chamaillait jamais. En tout cas, sur rien d'important : c'était toujours pour des bêtises. Par exemple, un jour, au collège, je lui ai suggéré de consacrer moins de temps à son apparence et davantage aux livres. Elle m'a fait une grimace et rétorqué que, si je n'arrêtais pas un peu de lire, j'allais devenir aveugle.

« Tant mieux ! Je ne verrai plus tes grosses chaussures à talons et tes dos-nu, ai-je répliqué du tac au tac. Tu pourrais au moins te couvrir le nombril, tu vas te faire une réputation.

— Super ! a-t-elle triomphé. Comme ça, tous les garçons auront envie de m'embrasser. »

Je l'ai traitée d'allumeuse, elle m'a traitée de bonne sœur, et on en est restées là.

Depuis la seconde, nos disputes ont tendance à s'envenimer. Quelques mois après la naissance de Sara, il y a eu un bal, au lycée. Le lendemain, Esther est arrivée, surexcitée, et m'a raconté ce qu'elle avait fait avec son petit ami, dans les fourrés, derrière le terrain de sport. Je l'ai écoutée avec un mélange d'horreur et de curiosité :

« J'espère que tu inventes.

— Pourquoi veux-tu que j'invente ? Il n'y a pas de mal à s'amuser un peu. Ce n'est pas parce qu'Isaac Pheto était un pervers que tu dois haïr tous les hommes. »

Sa remarque m'a rendue folle ! Je l'ai insultée, je l'ai plaquée au sol et je lui ai arraché ses barrettes.

« Je n'aurais jamais dû t'en parler ! ai-je sangloté.

— Excuse-moi ! Pardon, pardon ! Je ne voulais pas dire ça. »

C'est la seule fois où elle s'est excusée sur-le-champ.

« En plus, tu te trompes, lui ai-je dit une fois calmée. Je fais des cauchemars à cause d'Isaac, mais j'adorais papa plus que tout, sans parler de M. Dube et de mes frères aînés. Il y a aussi Soly, M. Tafa, Joseph et Pako du cours de maths – et M. Selamame, bien sûr. J'aime plein d'hommes.

— Alors, pourquoi tu ne sors jamais ? m'a demandé Esther.

— Je n'ai pas le temps, figure-toi. Ma petite sœur a des diarrhées, et maman a besoin que je l'aide. Iris et Soly sont trop jeunes, Jonah ne lève jamais le petit doigt. Il ne reste que moi pour tout faire.

J'ai prononcé ces mots il y a deux ans, et ça n'a pas vraiment changé depuis. J'essaie de ne pas trop y penser, mais parfois j'en veux à maman d'être sans arrêt fatiguée et de me laisser m'occuper de tout. Aussitôt après, je me sens coupable d'être égoïste. Puis je me reproche de culpabiliser... Qu'est-ce qui me prend ?

Au temps où Esther venait encore au lycée, c'était plus facile de se réconcilier avec elle. On se voyait tous les jours, et je savais à quel moment je pouvais recommencer à lui parler sans craindre de me faire rabrouer. Maintenant, je dois le deviner, au risque de me tromper. Je lui ai promis de ne jamais aller chez son oncle et sa tante ; alors, si j'y passe à vélo et qu'elle est fâchée, ça va être ma fête. Et, si je la retrouve à la Liberté, elle va m'accuser de l'espionner.

Du coup, je n'ai plus qu'à attendre qu'elle se décide à faire le premier pas, en me demandant à longueur de journée si elle m'a pardonné ou pas... ce qui ne fait qu'attiser ma colère.

En ce moment, par exemple, je suis furieuse. Voilà presque une semaine que je l'ai fait tomber de son vélo. Je ne m'attendais pas à la voir lundi, ni mardi, et je pouvais comprendre qu'elle boude encore mercredi et jeudi. Et, à la rigueur, vendredi. Mais, là, on est samedi matin !

Est-elle vraiment fâchée, ou veut-elle me punir ? Dans les deux cas, c'est injuste. Je n'aurais pas dû la pousser, mais elle n'aurait pas dû non plus parler de maman comme si elle avait un pied dans la tombe.

Je ressasse ces pensées en semant des haricots dans le jardin. Pour qui Esther se prend-elle ? Pour un médecin ? Depuis quand est-on malade parce qu'on marche avec un bâton ? Elle m'énerve tellement que j'aimerais qu'elle vienne, rien que pour lui dire de s'en aller.

Je lâche encore quelques graines dans les trous, et je me ravise : depuis jeudi, maman a une nouvelle migraine et passe ses journées au lit. Il ne manquerait plus qu'Esther l'apprenne ! Si une canne lui fait craindre la mort, que penserait-elle d'une migraine ? N'y a-t-il pas assez de vrais problèmes dans le monde, pour que les gens comme Esther n'en imaginent pas de faux ?

Peut-être que maman a raison. Peut-être que je ne devrais plus être son amie. Je m'applique à faire des trous dans la terre en me répétant l'alphabet pour oublier le reste : ABCDEFG, ABCDEFG.

— Chanda !

Un peu plus, et j'enfonçais mon plantoir dans le pied de Mme Tafa. Je lève les yeux et je la découvre au-dessus de moi, dans sa robe fleurie, telle une montgolfière prête à décoller.

— Tu es une véritable tornade ! me dit-elle.

Je me raidis. Quand Mme Tafa fait un compliment, mieux vaut se méfier.

— Tu plantes ça à une vitesse ! Pas étonnant que ta mère n'ait plus besoin de faire le jardin.

— Merci, Tatie, mais maman travaille encore plus dur que moi.

Je fais mine de reprendre mon occupation ; hélas, Mme Tafa n'abandonne pas la partie pour autant. Après m'avoir dévisagée pendant que je sème une demi-rangée, elle lâche :

— Elle est encore au lit, n'est-ce pas ?

Je mens :

— Non, elle est dans la maison. Elle fait de la couture.

— Bon, alors, si elle est debout, je vais lui faire un petit bonjour.

Mme Tafa se dirige vers la porte. Je lui barre le passage :

— Tatie, ne le prenez pas mal... Maman ne veut voir personne aujourd'hui.

Il fut un temps où Mme Tafa m'aurait tapoté la tête et écartée. Depuis, j'ai grandi. Elle bat en retraite.

— Rien de grave, j'espère.

— Juste une migraine.

Mme Tafa se frotte lentement le nez.

— Si tu veux mon avis, murmure-t-elle, il faut en finir avec ces migraines.

— Elle ne fait pas exprès de les avoir. C'est à cause de son chagrin.

— Chagrin ou pas, les gens parlent.

Un éclair glacé parcourt ma colonne vertébrale.

— Personne n'a le droit de calomnier maman !

— Droit ou pas droit, les gens disent ce qu'ils disent.

Mme Tafa baisse la voix :

— Allez, ma fille, ça suffit. Je connais quelqu'un qui peut guérir les migraines de ta maman. Maintenant, fais-moi entrer.

Ma gorge se serre. Maman a besoin de repos ; mais, si Mme Tafa a une solution pour la débarrasser de ses douleurs... Je la laisse passer. Elle fonce dans la chambre. Maman est recroquevillée sous une couverture, la tête sous son oreiller.

— Arrête de faire semblant de dormir ! aboie Mme Tafa en s'asseyant au bord du lit. Quand mon Emmanuel a eu son accident, j'ai fait comme toi, je me suis couchée. Le remède qui m'a guérie est meilleur que la griffe du diable. C'est un docteur de Kawkee qui me l'a prescrit...

Maman roule doucement sur le dos. Elle écoute attentivement.

— ... Le docteur Chilume, continue Mme Tafa. Il est très, très intelligent. La première fois que je suis entrée dans son bureau, il m'a montré ses diplômes de médecine.

Il en a six, tous encadrés, avec des cachets dorés, des rubans rouges et une écriture magnifique. Demain, au lieu de faire le tour des cimetières, on ira lui rendre visite.

Maman est trop fatiguée pour parler ; pourtant, une lueur s'allume dans son regard. Elle hoche la tête.

Mme Tafa lui caresse l'épaule :

— Ne t'inquiète pas, Lilian. Le docteur Chilume va te remettre sur pied en un rien de temps. Cet homme a de l'or dans les mains.

18

Le village de Kawkee est à une heure de voiture de Bonang. Quarante minutes, pour Mme Tafa. J'ai demandé à maman si elle se sentait assez en forme pour voyager. « Oui, a-t-elle dit. Ça m'a fait du bien d'être restée allongée, hier. »

Elle a tout de même emporté un sac en plastique, pour le cas où elle aurait mal au cœur.

Je suis contente qu'elle voie un docteur, mais, au moment où on monte dans le pick-up de Mme Tafa, je regrette de ne pas passer d'abord au cimetière. J'aurais aimé voir Esther. Elle risque de m'attendre et de mal interpréter mon absence. Je me sens coupable de lui faire faux bond, pourtant je ne peux m'empêcher de penser que ça lui apprendra : elle n'avait qu'à me faire signe cette semaine.

Mme Tafa démarre en trombe, et j'oublie mes pensées. Est-ce que j'ai dit que j'aurais aimé aller au cimetière ? Si

Mme Tafa continue de conduire ainsi, on risque de s'y retrouver, finalement... et pour de bon ! Elle prend les virages sur deux roues, double les charrettes à fond de train, même dans les côtes. Elle ne ralentit qu'une seule fois, dans un virage à quatre-vingt-dix degrés. Je hurle : « Attention ! Un arbre ! » Elle écrase la pédale du frein, et j'agrippe maman pour lui éviter de s'encastrer dans le pare-brise.

C'est encore pire lorsqu'on quitte la route pavée, à l'embranchement de Kawkee. La piste poussiéreuse est en si mauvais état qu'on manque régulièrement de se cogner la tête contre le toit. La circulation ne se fait plus que sur une voie, mais Mme Tafa s'en fiche, elle enfonce l'accélérateur. Je pousse un cri strident en voyant des enfants à bicyclette se jeter dans le fossé pour ne pas se faire écraser. Mme Tafa rit et se bourre les joues de chips à la banane.

Maman ferme les yeux et se tient le ventre.

— Le docteur Chilume est le petit frère du chef du village, raconte Mme Tafa entre deux bouchées. Vous avez déjà entendu parler de Chilume Greens ?

— Bien sûr, dis-je.

Est-ce qu'elle me prend pour une idiote ? Tout le monde connaît Chilume Greens. C'est la société qui cultive le morogo[1] que l'on trouve dans tous les supermarchés.

---

1. Morogo : un légume vert qui ressemble un peu aux épinards.

Mme Tafa me fait un clin d'œil :

— Eh bien, l'entreprise appartient à la famille du docteur Chilume. Au début, il travaillait dans les champs avec ses frères, mais il est tellement intelligent que ses parents l'ont envoyé à Jo'burg, étudier la phytothérapie[2]. Il y a obtenu ses diplômes. Le cancer, les colites, la tuberculose... il sait tout guérir. Il a même soigné des gens atteints de ce que vous savez.

J'écarquille les yeux :

— Il soigne le sida ?

Mme Tafa manque de s'étouffer avec une chips.

— C'est ce que j'ai dit, admet-elle lorsqu'elle a repris son souffle. Il a un remède secret.

Est-ce possible ? Je sais que des plantes sont efficaces contre certaines maladies : les clous de girofle apaisent les douleurs dentaires, le thé à la menthe est efficace contre la constipation, l'ail guérit le rhume, la griffe du diable soigne la peau et l'arthrite. Mais un remède contre le sida ? Si Mme Tafa dit vrai, le docteur Chilume est un génie ! Je pense aux parents d'Esther. Je les imagine vivants.

Nous atteignons l'école, à la lisière de Kawkee. Mme Tafa froisse son sac de chips vide et le jette par la fenêtre avant de tourner sur la gauche. Derrière une

---

2. Phytothérapie : médecine qui soigne par les plantes.

forêt d'ébéniers et de mopanes, nous découvrons la rete-
nue d'eau du barrage, entourée par des piliers de béton,
entre lesquels poussent des roseaux. Des hommes sont
assis sur les piliers, certains pêchent, debout dans l'eau
qui leur arrive à la taille. De l'autre côté du barrage, des
prés d'un vert luxuriant et parsemés de granges blan-
chies à la chaux s'étirent jusqu'à l'horizon.

Je suis stupéfaite de voir qu'ici des plantes poussent
à la saison sèche. Puis je remarque une légère brume
traversée d'arcs-en-ciel, et je comprends qu'un gigantesque système d'irrigation a été branché sur le barrage.

Mme Tafa fait un grand geste de la main :

— Tous ces prés appartiennent aux Chilume. Ce sont
aussi eux qui alimentent le village en eau. Et voilà la
maison du docteur.

Elle nous indique un bâtiment moderne de deux
étages, avec un toit de tuiles, sur la berge opposée.

— On ne devient pas riche quand on est idiot, remarque-
t-elle.

— Je croyais qu'on allait dans un hôpital ou une clinique,
dis-je.

— Le docteur Chilume travaille en indépendant,
répond Mme Tafa avec une moue de dédain.

Nous roulons jusqu'au pont de bois qui permet de
passer sur l'autre rive. Il n'y a pas de garde-fou. Les eaux
sont basses, et, malgré les algues, je discerne des formes

dans la vase. La plus imposante est celle d'un camion, passé par-dessus bord. Son antenne perce la surface de l'eau et scintille au soleil.

— On devrait peut-être finir à pied.

Mme Tafa prend ma suggestion comme un défi et accélère. Je n'ai pas le temps d'entamer ma dernière prière que nous sommes déjà sur le pont. Le fracas des planches déloge une nuée d'oiseaux qui nichent dans les piliers. Il en sort de partout. Tout au long de la berge, les pêcheurs lèvent un poing rageur, furieux qu'on ait fait fuir le poisson. Mme Tafa les trouve drôles. Elle baisse sa vitre, leur fait des signes, pousse des cris de joie et donne de grands coups de klaxon. Je me ratatine sous le tableau de bord.

Arrivées sans encombre de l'autre côté, nous nous garons sur le parking de gravier de la ferme, où stationnent déjà un tracteur, trois semi-remorques portant le logo Chilume Greens, et une Toyota Corolla.

Avant de descendre du pick-up, Mme Tafa se met du rouge à lèvres et se regarde dans le rétroviseur.

— Brosse-toi les cheveux, Lilian, conseille-t-elle à maman. Et toi — elle se tourne vers moi —, tu as une tache sur la joue. On dirait que tu t'es traînée dans la boue depuis Bonang, tellement elle est grosse.

Je me frotte la joue, mais Mme Tafa n'est pas satisfaite. Elle sort prestement son mouchoir de sa manche, crache dessus et me débarbouille. Personne ne m'a fait ça depuis des années ; je réprime un haut-le-cœur.

— Arrête ton cinéma, ronchonne Mme Tafa. Je suis ta tatie, quand même.

Deux chiens courent vers nous. Un grand homme chauve les rappelle. Il porte une chemise à l'encolure largement ouverte, des bottes de caoutchouc et un jean. Il a de grandes mains, et des oreilles plus grandes encore.

— Docteur Chilume ! s'écrie Mme Tafa.

— Rose ! Quelle surprise !

Le docteur remonte son jean et s'approche à grandes enjambées.

— Tu es arrivée par derrière ?

— Je voulais montrer votre barrage à mes amies.

— Tu veux dire, le barrage de Kawkee, rectifie-t-il en souriant. Quel bon vent t'amène ?

— J'aurais bien besoin de cachets de *cystosis*, minaude-t-elle, mais je suis surtout venue à cause de mon amie.

Mme Tafa nous présente, et lui explique que maman se sent mal depuis la mort de Sara.

— C'est terrible, de perdre un enfant, fait le docteur en hochant la tête. Cependant, la vie doit continuer. Voyons ce que je peux faire...

Il nous escorte jusqu'à une espèce de remise jouxtant la ferme. C'est un bloc de parpaings avec un toit de tôles rouillées, qui ressemble à certaines maisons de notre quartier, sauf qu'il a une fenêtre avec une vitre. Sur le mur, sous l'inscription « Cabinet de phytothérapie » en lettres capitales, je lis : « Remèdes contre... » suivi d'un nombre impressionnant de maladies. Comme l'a signalé Mme Tafa, le sida fait partie de la liste. Fébrile, je montre l'inscription au docteur et je lui demande :

— Vous avez combien de patients atteints du sida ?

Mme Tafa me fusille du regard pour me reprocher mon impertinence ; le docteur Chilume s'appuie au chambranle de la porte et sourit :

— Trop pour les compter.

— Vous en avez guéri combien ?

— Tous.

Il gratte la boue qui macule ses bottes :

— En tout cas, tous ceux qui ont consulté à temps. Certains hésitent à cause du prix et viennent me voir quand il est trop tard. Mon remède est coûteux, mais, s'il est pris assez tôt, il marche, c'est garanti.

— Il est à base de quoi ?

— Désolé. Je ne révèle pas sa composition avant d'avoir déposé mon brevet.

— J'espère que les questions de Chanda ne vous dérangent pas, s'excuse maman. Elle veut toujours tout savoir.

— Elle a raison, dit le docteur Chilume en riant.

Et il nous fait entrer dans son cabinet.

Malgré la fenêtre, le réduit paraît sombre, par contraste avec l'extérieur. Il est encombré, aussi. Un bureau, un meuble de classement et deux chaises chromées à l'assise plastifiée occupent une moitié de la pièce. L'autre moitié abrite deux tables pliantes et des étagères en bois pleines de flacons de comprimés presque vides, de boîtes de compresses défraîchies, de seringues et de boules de coton. Les tables pliantes croulent sous une multitude de sacs en papier marron, portant chacun un nom de plante inscrit au marqueur. Sous les tables s'entassent des brochures poussiéreuses et des caisses de bière. J'aperçois également un pèse-personne.

Après avoir invité maman et Mme Tafa à s'asseoir, le docteur Chilume enfile la blouse blanche qui traînait sur son bureau. Il demande à maman ses coordonnées et la fait monter sur la balance. Puis il extirpe tant bien que mal un stéthoscope d'un tiroir de son bureau, lui prend le pouls et regarde dans ses oreilles avec une lampe de poche.

Entre-temps, mes yeux se sont accoutumés à la lumière ambiante. Je regarde les choses accrochées aux murs. Il y a une affiche du corps humain, la même qu'au lycée, dans la salle de sciences ; un vieux calendrier avec une photographie des chutes Victoria ; et enfin les six diplômes de médecine que Mme Tafa a mentionnés.

Même de loin, ils en imposent, dans leurs cadres métalliques noirs. Dommage que le verre crasseux qui les protège m'empêche de les lire d'où je suis. Toutefois, l'élégance du lettrage et la richesse des décorations sont indiscutables. Conformément à la description de Mme Tafa, ils sont tous les six couverts d'une écriture ample, pleine de volutes, ornés de cachets dorés et de rubans. Tandis que le docteur Chilume prend la tension de maman, je me déplace pour les voir de plus près.

Je m'attendais à ce que les diplômes soient rédigés en latin, sans doute à cause de leur joli lettrage, mais, en y regardant de plus près, je m'aperçois que c'est de l'anglais. Sur celui de gauche, je lis : « Ce document atteste que M. Charles Chilume a assisté au quatrième congrès annuel de la société Herbatex, à l'Holiday Inn de Johannesburg, Afrique du Sud, du 8 au 10 août 1995. »

Il est signé d'un certain Peter Ashbridge, directeur des ventes de la société Herbatex.

Le cœur battant à tout rompre, j'examine les autres « diplômes ». Tous « attestent que M. Chilume est un revendeur agréé des produits Herbatex ». Pire, je m'aperçois qu'il s'agit de photocopies ! Les cachets dorés sont en réalité des autocollants brillants, et les rubans rouges des morceaux de ruban ordinaire, coupés aux ciseaux et fixés grâce aux autocollants.

Ainsi, le « docteur » Chilume a étudié la médecine à Jo'burg ! La bonne blague ! Il a assisté à un congrès pharmaceutique, bien sûr ! Ce n'est pas un docteur, c'est un revendeur ! Un escroc qui profite de la peur de la maladie et de la mort. Qui abuse de la confiance des pauvres gens qui ne savent pas lire, comme Mme Tafa.

— Vous souffrez de dépression, d'insomnie et vous avez les articulations enflées, dit-il à maman. Ne vous inquiétez pas : j'ai ce qu'il vous faut. Vous allez très vite vous sentir mieux.

Je pivote sur mes talons, prête à le confondre, mais je me ravise en découvrant les yeux de maman : pour la première fois depuis des siècles, j'y lis de l'espoir.

— Pour le système nerveux, je prescris *Latuca virosa* et *Passiflora*, poursuit M. Chilume. Ce sont des gélules à prendre deux fois par jour. Pour les articulations, vous prendrez chaque matin une gélule de phytolaque, de trèfle d'eau et de céleri. Enfin, pour nettoyer les intestins, une gélule de nerprun purgatif, de sureau, et de feuilles de séné.

— Combien ça va coûter ? demande maman.

— Trente dollars américains, pour commencer.

Maman baisse les yeux :

— Je n'ai pas les moyens.

— Tu n'as pas les moyens de t'en passer, lui chuchote Mme Tafa en lui donnant un coup de coude dans les côtes.

Il me vient alors une idée. Je montre au pseudo-docteur ses trophées Herbatex :

— Dites-moi, docteur Chilume, ce sont vos diplômes ?

Un éclair de panique passe dans son regard :

— Oui...

— Ils sont très impressionnants, dis-je avec un gentil sourire. Je me posais une question : c'est Herbatex qui vous fournit vos remèdes ?

M. Chilume s'étrangle :

— Oui, en effet, ce sont des comprimés Herbatex, importés de Suisse. Ce sont les meilleurs cachets de phytothérapie sur le marché.

— Je n'en doute pas. Mais, avec toutes vos qualifications, est-ce que vous ne pourriez pas préparer un traitement pour maman avec des herbes que vous avez sur votre table, là ?

Le « docteur » s'éclaircit la gorge :

— Les cachets Herbatex ont un enrobage spécial, qui leur permet de se dissoudre pendant le transit intestinal. Cela dit, ajoute-t-il précipitamment, je peux préparer l'équivalent, bien entendu.

— Ça sera aussi efficace ?

— Tout à fait.

— Et plus abordable ?

— Absolument.

Il se tourne vers maman :

— Le dévouement de votre fille me touche tellement que j'ai décidé de vous offrir un mois de traitement gratuit.

— Et moi, qui suis une fidèle cliente, intervient Mme Tafa, je pourrais peut-être avoir une réduction sur mes gélules de *Cystosis* ?

— Juste pour cette fois, lui répond M. Chilume en fronçant les sourcils. Mais ne le dites à personne, ou je ferai faillite.

Il tire une poignée de sacs en plastique de son meuble de classement et nous demande de l'attendre à l'extérieur pendant qu'il mélange les herbes. En sortant de son cabinet, je prends soin de m'interposer entre maman et les diplômes officiels. Contrairement à Mme Tafa, elle sait lire.

Dehors, Mme Tafa tourne en rond en se dandinant comme un canard. La position assise a fait remonter son slip entre ses fesses.

— Comment tu connais Herbatex ? me demande-t-elle, en se tortillant pour le remettre en place.

Je mens :

— J'en ai entendu parler au lycée, en faisant des recherches à la bibliothèque pour un devoir de sciences naturelles. Herbatex était cité dans un article du *Reader's Digest*.

— Ah bon ? N'empêche que tu ne manques pas de toupet ! Interrompre une consultation pour interroger un docteur sur son fournisseur ! Sans vouloir te vexer, Lilian, ta fille a de drôles de manières !

— Laisse-la tranquille ! fait maman. Je suis sûre que Chanda ne pensait pas à mal.

— Si tu le dis...

Soudain, renonçant à toute dignité, Mme Tafa s'adosse à un arbre, retrousse sa robe et tire un bon coup sur sa culotte. Maman explose de rire. C'est un rire énorme, le rire qu'elle avait quand tout allait bien. Nous la regardons avec stupeur avant d'exploser à notre tour.

19

En arrivant à la maison, on est toutes les trois de bonne humeur. Iris et Soly courent vers le pick-up en poussant des cris de joie. Maman les serre dans ses bras, puis va prendre le thé chez Mme Tafa. Elle tient des sacs d'herbes serrés contre son ventre.

À peine est-elle partie qu'Iris tire un bout de papier de sa poche :

— C'est pour toi, de la part d'Esther. Elle vient de s'en aller.

Tandis que je prends le mot, elle m'explique :

— Soly a arraché une page dans ton classeur. Je lui ai dit que tu serais fâchée, mais il l'a fait quand même.

Elle me regarde avec un sourire rayonnant :

— Tu vas lui donner une fessée ?

— Non, gémit Soly. C'est Iris qui a eu l'idée.

Je le rassure :

— Ne t'en fais pas.

Le mot d'Esther est écrit au verso d'un vieux devoir de mathématiques : « Chanda, où es-tu ? Je t'ai attendue au cimetière. Je passerai te voir cette semaine. Là, je ne peux pas rester : je dois aller nettoyer les cabinets si je ne veux pas me faire encore tabasser. Esther. »

Je fronce les sourcils.

— Qu'est-ce que tu as ? s'inquiète Soly.

— Rien. Tout va bien.

« Tout va bien. » Je commence à parler comme maman. Je leur dis qu'ils peuvent continuer à jouer, que nous n'irons pas à la messe aujourd'hui.

— Je peux mettre quand même ma belle robe ? demande Iris.

— Non, tu risques de la salir pour rien.

Elle se campe devant moi, les mains sur les hanches :

— C'est pas vrai ! En plus, si je ne la mets pas mainte-nant, elle sera trop petite pour moi après.

Iris me fait rire. Elle a gagné :

— D'accord. À condition que tu ne la gardes que dix minutes et que tu restes dans la maison. Si maman apprend que je t'ai dit oui, elle va me tuer.

Iris exulte et file dans la maison. Je relis le mot d'Esther. Au mot « tabasser », je revois son œil au beurre noir de la semaine dernière. Si je me dépêche, je peux être chez elle avant que son oncle, sa tante et leur marmaille reviennent du Bethel Gospel Hall. Il faut qu'on parle. Qu'on fasse quelque chose. Je ne sais pas quoi, mais les coups doivent cesser.

En pédalant vigoureusement, il faut dix minutes pour arriver chez Esther. En chemin, j'entends des jurons résonner derrière les murs des shebeens et des chants filtrer des églises en parpaings. Je m'arrête à deux reprises pour incliner la tête au passage de processions funéraires. Je croise des vieillards voûtés fumant des pipes en terre, assis sous des arbres. Dans les cours, les mères baignent leurs enfants dans des baquets de fer-blanc.

Je me rappelle comme je détestais partager l'eau du bain, à la ferme. J'étais la plus petite, alors je passais toujours après ma sœur et mes frères aînés. Quand c'était enfin mon tour, l'eau était d'un gris sale, et l'intérieur du baquet enduit de crasse savonneuse. Je me souviens de m'être réjouie, un jour, parce que mon bain était tiède, puis d'avoir déchanté en découvrant le rictus moqueur de mon frère, qui venait d'en sortir. Mais le moment est mal choisi pour évoquer les souvenirs. Je suis arrivée.

Si l'oncle et la tante d'Esther étaient rentrés de l'église, leurs enfants seraient probablement en train de jouer dehors. Je suis rassurée de trouver les lieux silencieux. J'ouvre le portillon et je pousse ma bicyclette jusqu'à l'appentis où ils font dormir Esther, sous prétexte qu'il n'y a pas de place dans la maison.

L'appentis n'a pas changé depuis le jour où elle s'y est installée. Le toit de tôle ondulée disparaît presque sous un fouillis de tuyaux rouillés et de bidons cabossés. Esther prétend que le poids de la ferraille empêche le toit de s'envoler. Je la crois volontiers. Plusieurs pelles, un râteau et une binette sont appuyés contre le mur. Une brouette et deux seaux sont renversés près de la porte.

Je frappe :

— Esther ?

Un concert d'aboiements me répond. Je me retourne et je vois les chiens de son oncle débouler à toute allure de derrière la maison. Ils se précipitent sur moi. En tâtonnant pour attraper une pelle, je fais un faux pas et je tombe à la renverse. Avant que j'aie pu me relever, les chiens sont sur moi. Je me recroqueville, la tête entre les mains. Ils ne me mordent pas : ils se contentent de me renifler pour voir si j'ai quelque chose à manger. Je leur tapote la tête, et ils remuent la queue. Je me remets debout.

Si Esther avait été là, les aboiements l'auraient fait venir. Où est-elle ? Je vais vers la maison et je regarde par les fentes des volets.

— Esther ?

Toujours pas de réponse. Je me dirige vers les cabinets, au fond du jardin. Je m'arrête à un mètre du but : si je fais un pas de plus, je vais vomir. Pas étonnant que la tante d'Esther lui ait ordonné de les nettoyer. Pas étonnant non plus qu'elle ne l'ait pas fait !

Je relis le mot d'Esther. Elle dit bien qu'elle doit rentrer chez elle, pour éviter d'être battue. Si elle n'est ni dans l'appentis, ni dans la maison, ni dans les toilettes, où est-elle ? Et où est son vélo ? Je suis prise d'une nausée. Lui serait-il arrivé quelque chose en chemin ?

Je tente de me raisonner : « Esther a dû ranger son vélo dans la remise et partir chercher de l'eau à la fontaine. » Non, ça ne tient pas debout : si elle était allée à la fontaine, elle aurait emporté les seaux et la brouette.

Sans me laisser le temps de réfléchir davantage, les chiens m'abandonnent pour foncer vers la maison. Ils ont entendu un bruit. Moi aussi. Je me retourne, m'attendant à voir Esther, mais je me retrouve nez à nez avec sa tante, son oncle et ses cousins.

Sa tante porte une robe et un foulard verts, ainsi qu'une écharpe blanche. Son oncle est en vert aussi, et coiffé d'une fausse couronne d'évêque en carton. Les petits sont vêtus de jaune et de vert. Ils sont devant l'appentis, en demi-cercle autour de mon vélo. Ils plissent les yeux en me voyant arriver.

— Qui es-tu ? me demande l'oncle.

— Chanda Kabelo. On s'est rencontrés à l'enterrement de Mme Macholo. J'ai aidé Esther à emménager.

— Qu'est-ce que tu veux ? insiste la tante, les bras croisés sur la poitrine.

J'essaie de trouver un mensonge, mais il ne m'en vient aucun.

— Je cherche Esther.

— Alors, tu n'as rien à faire ici ! grogne la tante.

— Je croyais qu'elle habitait chez vous.

— Ah ?

— Elle n'habite pas là ?

— Elle vient de temps en temps, répond-elle froidement.

J'ai envie de hurler : « Vous mentez ! Vous traitez Esther comme votre esclave et, en plus, vous la battez ! » Pourtant je me tais, de peur de lui attirer des ennuis.

— On n'aime pas que des étrangers entrent dans notre jardin, finit par lâcher l'oncle. Et encore moins qu'ils rôdent autour de la maison. Qu'est-ce qui nous dit que tu n'es pas une voleuse ?

— Je vous l'ai dit : je suis une amie d'Esther.

— Justement, conclut-il d'un air sévère.

J'ai les joues en feu.

— Va-t'en, fait sa femme.

— Et ne reviens pas ! ajoute l'oncle. La prochaine fois, on appelle la police.

« Ne te gêne pas, me dis-je. J'en profiterai pour leur dire que tu bats mon amie. »

Les cousins d'Esther s'écartent de mon vélo. Je le relève et je le pousse jusqu'à la rue, puis je l'enfourche et je leur tourne le dos.

Avant de partir, je m'éclaircis la gorge :

— Est-ce que vous avez une idée de l'endroit où je peux la trouver ?

— J'en ai plein, des idées, répond la tante, mais je ne prononce pas le nom de ces endroits-là.

L'oncle retire sa coiffe d'évêque et s'éponge le front.

— Essaie la place de la Liberté, me suggère-t-il

— Si tu la vois, dis-lui qu'on en a assez, ajoute la tante. Soit elle se conduit convenablement, soit elle part. C'est dur de préserver nos petits du péché, alors qu'ils vivent avec une traînée.

20

Je pédale avec frénésie jusqu'à la place de la Liberté. Esther, une prostituée ? C'est un mensonge. Elle laisse seulement les touristes la prendre en photo. Peut-être que les photos comptent comme de la prostitution, pour les hypocrites du Bethel Gospel Hall.

Alors pourquoi Esther m'a-t-elle menti en m'écrivant qu'elle rentrait chez son oncle et sa tante ? Pour quelle raison m'a-t-elle fait promettre de ne jamais passer la voir chez eux ?

Je pense aux Polaroïds. Aux hommes qui les prennent. Qui donnent le nom d'Esther à leurs amis. Qui lui écrivent des e-mails. Esther s'est moquée de moi quand je me suis fâchée, pourtant j'avais raison : les touristes peuvent prendre des photos de n'importe qui. Ils n'ont pas besoin d'envoyer des e-mails pour réserver leur modèle.

Je songe aux rumeurs. À ce que m'ont dit maman et Mme Tafa. Et les garçons de l'école. Et les filles, aussi. J'ai toujours défendu Esther, mais... s'ils disaient vrai ? Si j'étais trop naïve ?

Non ! Stop ! Ces pensées-là ne sont pas dignes d'une amie.

Je fais plusieurs fois le tour de la place de la Liberté, sans trouver Esther. Ouf !... Suis-je vraiment soulagée ?

J'essaie les rues transversales. La nuit, elles fourmillent de prostituées en minijupe qui interpellent les conducteurs des voitures aux panneaux de stop. En plein jour, par contre, ce sont des rues tranquilles : les clients sont des gens timides qui ont peur de la lumière et préfèrent la discrétion du parc Sir Cecil Rhodes. C'est le nom que lui donnent les guides touristiques. Ici, on l'appelle « le parc aux putes ».

C'est un jardin public d'environ un hectare, réputé pour ses viols et ses meurtres. Toutefois, l'après-midi, on le traverse sans danger, à condition de ne pas quitter l'allée principale. Les prostituées attendent le chaland assises sur les bancs, prennent des bains de soleil ou rattrapent leur sommeil en retard. Si un client se présente, elles l'emmènent dans les fourrés. Si c'est un camionneur, elles le suivent dans sa cabine. Du moins, c'est ce qu'on raconte au lycée.

Le parc est délimité par un mur de pierres. J'entre par le portail métallique, côté sud, et je roule dans l'allée, qui décrit un grand huit, en jetant de brefs coups d'œil sur les sentiers de traverse. À l'extrémité nord, il y a un ruisseau, et le sentier se change en passerelle. J'entends des bruits en dessous, mais j'ai assez de bon sens pour ne pas m'arrêter. À mon troisième passage, j'aperçois un homme qui remonte du ruisseau en titubant. En bas, une femme s'essuie l'entrejambe avec un chiffon.

Je commence à me détendre. Trois tours, et pas d'Esther en vue. Je remercie le Seigneur. Qu'est-ce que je croyais ? Je me sens horriblement coupable : j'ai entendu un vilain mensonge, et j'ai foncé tête baissée. Mme Tafa n'aurait pas fait mieux.

Je décide d'aller au centre commercial du Red Fishtail. Je passerai devant le magasin d'électronique de M. Mpho, je regarderai dans le cybercafé...

Je n'ai pas le temps de mettre mon plan à exécution : au moment où je sors du parc, une limousine aux vitres teintées s'arrête à ma hauteur. Quelqu'un descend du siège arrière. Quelqu'un que je connais.

— Esther !

— Chanda !

La limousine redémarre. Esther est plantée devant moi, un sac en plastique à la main. À l'intérieur, je reconnais ses habits de tous les jours : ils sont de couleur vive, comme d'habitude, mais ce n'est rien en comparaison de ceux qu'elle porte : un simple ruban de vinyle orange en guise de minijupe, et un haut de bikini en dentelle rose. Son visage est maquillé à outrance, et son rouge à lèvres bave.

— Qu'est-ce que tu fais ici ? dis-je, comme si ce n'était pas évident.

— Ça ne te regarde pas, me répond-elle sèchement. Ça ne te gêne pas de m'espionner ?

— Je ne t'espionne pas. J'ai eu ton mot. Je suis passée chez toi.

— Je t'avais dit de ne jamais y aller !

— J'étais inquiète.

— Et alors ? Tu m'avais promis de ne pas le faire. Tu m'as menti.

J'ouvre des yeux ronds :

— *Moi,* je t'ai menti ?

— De toute manière, je ne vois pas pourquoi tu te mets dans cet état-là, reprend Esther avec un aplomb incroyable. Je ne fais rien de mal : je propose des visites guidées. Je promène les gens en ville, je leur montre les endroits intéressants. Où est le problème ?

— Il n'y en a pas, si c'est la vérité. Mais tu mens.

— Qu'est-ce que tu en sais ? Je croyais qu'on était amies. Les amis ne sont pas censés se faire confiance ?

— Confiance !

J'en ai les larmes aux yeux :

— T'es vraiment trop idiote !

— Moi ? Idiote ?

Esther fouille dans son collant et en sort un rouleau de billets de banque.

— Et ça, c'est idiot, peut-être ? Tu n'en gagnes pas le dixième en un mois, avec tes œufs et tes légumes. Je l'ai gagné en une après-midi. Et tu me traites d'idiote !

Je regarde tour à tour ses yeux et l'argent, plusieurs fois. Le souffle me manque. Je vacille et je murmure :

— Je croyais en toi. Quand les gens disaient du mal de toi, je t'ai toujours défendue.

Le visage d'Esther se chiffonne :

— C'est facile pour toi. Tu as ta mère, ta sœur, ton frère. Moi, ma mère est morte, mes frères et ma sœur sont éparpillés partout. Je veux réunir ma famille, et j'ai besoin d'argent.

— En faisant ça ?

— Tu vois un autre moyen d'obtenir de quoi nous faire vivre ? De quoi louer une chambre ? De quoi acheter à manger ?

Elle lève les bras au ciel et se laisse tomber sur le banc le plus proche.

J'appuie ma bicyclette contre un arbre et je la rejoins. Nous restons assises un long moment en silence. Elle s'éponge les yeux ; je fixe le sol. Enfin, je lui demande :

— Ça fait combien de temps que tu te prostitues ?

— Plusieurs mois.

Ma gorge se serre.

— Pas tous les jours, ajoute-t-elle rapidement, comme pour me rassurer.

— Pourquoi tu ne me l'as pas dit ?

Elle s'étrangle :

— Je pensais que tu ne voudrais plus être mon amie.

— Tu me connais, pourtant.

Elle renifle :

— On ne connaît jamais vraiment quelqu'un.

Je ne réponds pas immédiatement. Je finis par lâcher :

— Tu aurais dû savoir que je l'apprendrais tôt ou tard.

— Pourquoi ? dit-elle en essuyant le mascara qui lui coule sur les joues. On raconte tellement de choses sur moi... J'espérais que, si quelqu'un t'en parlait, tu prendrais ça pour un ragot de plus. D'ailleurs, les gens comme nous ne viennent pas par ici. Ou, s'ils y viennent, ils ne s'en vantent pas. Je me disais que, si je croisais quelqu'un, je me cacherais dans les fourrés, que je ferais semblant d'être une guide, ou...

Elle hausse les épaules :

— En fait, j'essayais de ne pas y penser.

Je la regarde dans les yeux. Le droit est de nouveau enflé.

— Les coups, ce n'est pas ta tante qui te les donne, n'est-ce pas ? C'est quand tu « travailles » que tu les reçois ?

Esther frissonne. Elle hoche la tête.

— Esther, je vais te poser une question très personnelle. Mais je veux que tu me dises la vérité.

Je prends une grande inspiration :

— Est-ce que tu utilises des préservatifs ?

Un silence gêné succède à ma question.

— J'en ai toujours sur moi, répond-elle enfin.

— Ce n'est pas ce que je t'ai demandé.

— Si tu crois que c'est simple ! Les types n'aiment pas ça. Si je les force à en mettre, ils vont voir ailleurs.

— Qu'ils y aillent. Ça vaut mieux que d'attraper le sida.

— Qu'est-ce que tu racontes ? Attraper le sida ?

Elle se lève, très énervée :

— À t'entendre, on croirait que je suis une pute. Ce n'est pas vrai. Je fais ça en attendant. Quand j'aurai récupéré mes frères et sœur, les choses seront différentes.

— Ah ? Comment ?

— Je n'en sais rien. Elles seront différentes, c'est tout !

J'ai un petit rire amer :

— Tes frères et sœur ont vu leurs parents mourir. À présent, c'est toi qu'ils vont voir mourir. C'est *très* différent. Je suis sûre qu'ils apprécieront... sachant tout ce que tu as fait pour eux.

— Casse-toi !

Une voiture s'arrête. Le conducteur se penche en avant. Ce pourrait être notre grand-père. Il nous fait signe d'approcher.

Esther me défie du regard :

— Imagine que j'attrape le sida. Imagine que je meure. Et alors ? Ce ne serait pas pire que ça. Maintenant, laisse-moi. J'ai du travail.

21

Je fais des cauchemars toute la nuit. Je vois Esther sous le pont, dans le parc des prostituées. Elle se fait peloter par des vieillards qui se changent en squelettes. Elle est prise en chasse par des morts vivants. Elle escalade un tuyau d'égout. Des plaies apparaissent partout sur son corps.

Je me réveille, terrifiée. Mon amie va être infectée. Elle va attraper le sida. Je le sais. Je ne peux rien faire contre ça. Ni moi, ni personne. Si ça se trouve, c'est déjà le cas.

Je récite l'alphabet comme une folle – ABCDEFG – ABCDEFG – ABCDEFG. Ça ne marche pas. Mon cerveau refuse de m'obéir. Il faut que je parle à quelqu'un, mais à qui ? Si je me confie à une camarade du lycée, je suis sûre que ce sera répété. Si je parle à maman, elle m'interdira de revoir Esther.

J'implore l'aide du Seigneur ; les mots restent coincés dans ma gorge. Je pleure :

— Mon Dieu, où es-tu ? Je veux croire en toi, si au moins tu m'aidais un peu...

Je finis par m'endormir. Quand je me réveille, Iris me secoue l'épaule :

— Maman dit qu'il faut que tu te lèves, sinon tu vas être en retard à l'école.

Maman est déjà debout ? Je saute de mon lit. Non seulement elle est debout, mais elle est dans la cuisine, en train de préparer du porridge. Est-ce que je rêve encore ?

Elle remarque mon étonnement :

— Tu en as beaucoup trop fait, ces derniers temps. Je prends le relais.

— Maman ?

— Va savoir pourquoi, j'ai dormi comme un bébé. Ces herbes, c'est incroyable !

J'essaie de ne pas trop montrer ma joie.

Avant d'entrer en cours, je passe à la bibliothèque pour consulter l'encyclopédie. Toutes les herbes de M. Chilume y sont mentionnées. On les utilise en médecine traditionnelle pour faciliter la digestion, lutter contre la fatigue et les troubles du sommeil. Peut-être que M. Chilume n'est pas un charlatan, tout compte fait.

Après l'école, je fonce à la maison. Je m'attends à trouver maman au lit, comme d'habitude, mais elle est assise dehors en compagnie de Mme Tafa. Elle porte une robe propre et un fichu de couleur vive.

— Tu as passé une bonne journée ? me demande-t-elle.

Je ne lui ai pas entendu une voix aussi pétillante depuis des semaines.

— Excellente !

Elle sourit :

— Moi aussi. Je disais justement à Mme Tafa qu'au bout d'un jour de traitement je me sens déjà une autre femme.

Maman n'a pas encore le pied très sûr, mais elle a plus d'énergie. Avant le dîner, elle épluche des pommes de terre pour la soupe, puis raconte à Iris et Soly une histoire en utilisant des chiffons en guise de marionnettes.

Je ne suis pas la seule à remarquer le changement. Le lendemain, Mme Tafa me fait signe au moment où je pars pour la fontaine.

— Ta maman va beaucoup mieux, me chuchote-t-elle. Cet après-midi, je l'emmène faire un tour au magasin.

Je me sens pousser des ailes.

— C'est presque trop beau pour être vrai ! dis-je.

Mme Tafa hoche la tête avec suffisance :

— Oh, toi, tu ne crois en rien ! Le docteur Chilume est un génie !

Je me mords la langue. Que la guérison de maman soit due aux herbes de M. Chilume ou à leur effet placebo, peu m'importe. Elle est redevenue elle-même, et c'est un miracle.

Tout au long de la semaine, son état s'améliore. Elle passe de plus en plus de temps dehors, parvient à faire quelques courses, et surtout elle sourit en permanence. Je suis si heureuse que je me surprends à chanter sans raison.

Le miracle s'achève vendredi soir.

Maman fait la vaisselle après le dîner. Soudain, elle se raidit. Une assiette s'écrase par terre. Maman suffoque et s'agrippe à une chaise, le visage crispé par la douleur. Pendant une seconde, elle reste immobile, puis elle s'écroule.

— Dans mon lit ! Amène-moi dans mon lit.

Elle se prend la tête entre les mains, à l'agonie.

Iris et Soly se cachent sous la table tandis que je la traîne dans sa chambre. Lorsqu'elle arrache son foulard, je comprends pourquoi elle ne se massait plus les tempes. Les herbes n'y sont pour rien : elle portait un bandage élastique, si serré que je m'étonne que sa tête n'ait pas explosé.

Horrifiée, je regarde sa guérison miraculeuse se dissiper sous mes yeux. Son énergie fond à vue d'œil. Elle est redevenue toute petite. Toute frêle.

— À quoi ça sert, tout ça ? gémit-elle. Rien ne marche. Ni les herbes ni rien !

— Ce n'est pas vrai ! Tu as eu un spasme, c'est tout. Tu vas mieux. Tu dois aller mieux. Pour Iris. Pour Soly. Et pour moi. S'il te plaît, maman. S'il te plaît. Il faut que tu essaies.

— J'ai essayé, sanglote-t-elle. J'ai essayé de toutes mes forces.

22

Le lendemain matin, maman se repose dans son lit. En sortant nourrir les poules, j'aperçois Mme Tafa qui sirote une citronnade dans son jardin. Nous échangeons un simple signe de tête. Elle sait.

Soly et Iris veillent sur maman tandis que je m'affaire dehors. Je travaille dur pour éviter de penser à maman, à Esther, ou à personne d'autre. En fin d'après-midi, je coupe du bois pour le feu quand Tante Ruth, la sœur de Jonah, arrive en voiture avec son petit ami. Leur Corvette rouillée tire une remorque en bois à deux roues, d'où s'échappe une odeur pestilentielle.

Le copain de Tante Ruth appuie sur le klaxon et braille : « Terminus ! »

Elle lui tapote le bras :

— Laisse, je vais m'en occuper.

Elle descend de voiture :

— Chanda, est-ce que ta mère est là ?

— Elle dort.

— C'est au sujet de Jonah.

— Quoi, Jonah ?

Tante Ruth se mord la lèvre :

— Il est venu chez nous il y a un mois. Il nous a dit qu'il avait quitté ta mère et qu'il ne savait plus où habiter, alors on l'a hébergé en pensant qu'il rentrerait chez lui au bout de quelques jours, mais il s'est mis à délirer.

— Il devait être saoul.

— Ce n'était pas l'alcool.

Le petit ami de Tante Ruth descend à son tour :

— Bon, on ne va pas y passer la journée !

Il attrape une fourche sur le siège arrière et en frappe violemment la remorque :

— Toi, là-dedans ! Tu dégages de là, ou je te sors à la fourche comme une botte de sorgho [1].

Iris et Soly passent la tête par la porte d'entrée.

— Rentrez ! leur dis-je.

— Et demandez à votre mère de venir, ajoute Tante Ruth.

Mme Tafa quitte sa chaise longue. Elle jette un coup d'œil de l'autre côté de la haie et appelle son mari. Plus

---

1. Sorgho : une céréale qui pousse sous des climats chauds et secs, et dont les grandes tiges rappellent celles du maïs.

bas dans la rue, les Lesole baissent le volume de leur ghetto blaster et viennent voir ce qui se passe. D'autres voisins s'approchent aussi : les Sibanda. M. Nylo, le fripier. Tous les gens qu'on connaît, en fait.

Le copain de Tante Ruth agite sa fourche.

— Tu es sourd ? crie-t-il. Je t'ai dit de sortir de là !

Un gémissement lugubre lui répond. Je regarde dans la remorque.

— Je suis désolée, dit Tante Ruth. On ne peut pas le garder. Il faut qu'il parte.

Je suis incapable de bouger ou de parler. Je ne peux pas non plus détacher mon regard de la créature blottie dans un coin de la remorque. C'est Jonah. C'est ce qu'il reste de Jonah. Un squelette. On dirait que sa chair a fondu. Sa peau est sèche et adhère tant à ses os que l'arête de son nez l'a traversée. Son bandana à rayures a glissé de son front et pend autour de son cou comme un nœud coulant. Son vieux costume de marin flotte sur lui. Il est couvert de mouches.

Le petit ami de Tante Ruth le pique avec la pointe de la fourche :

— Dégage de là, j'ai dit !

— Non ! hurle Jonah. Tue-moi plutôt !

Il attrape la fourche et essaie de s'enfoncer les piques dans la poitrine.

— Ne me laisse pas là ! Tue-moi !

Maman sort de la maison. Elle s'avance vers la remorque en s'appuyant sur son bâton. En la voyant, Jonah est pris de panique et lâche la fourche. Il se dresse tant bien que mal sur ses jambes décharnées et prend les voisins à partie :

— Deux de mes bébés sont morts dans son ventre. Ma petite Sara a été empoisonnée par son lait !

Le visage ruisselant de sueur, il ajoute :

— Mon sang est bon. Ma semence aussi. Elle m'a jeté un sort !

Le copain de Tante Ruth décroche la remorque, qui bascule. Jonah perd l'équilibre et tombe à la renverse.

Tante Ruth monte dans la voiture en pleurant :

— Pardonne-moi, Jonah.

Elle regarde maman avec des yeux implorants :

— On ne pouvait pas le garder... On a des enfants, ce n'était pas prudent.

Son petit ami met le contact, et la Corvette démarre, abandonnant dans son sillage la remorque dans laquelle Jonah est affalé.

— Écoute-moi, Jonah, dit maman. On va aller chercher un docteur.

— J'ai pas besoin de docteur ! C'est toi qui m'as fait ça !

Il tente d'enjamber le bord de la remorque et tombe par terre la tête la première. Se relevant à grand-peine, il louche en direction des badauds. Soudain, il aperçoit

Mary, qui se cache derrière un petit groupe de voisins, le bonnet descendu bien bas.

— Mary ? C'est toi ?

Il titube jusqu'à elle.

Les gens retiennent leur souffle et battent en retraite à mesure que Jonah avance. Mary tente de rester cachée derrière les Sibanda, mais ils la prennent par les épaules et la poussent devant.

— Mary, aide-moi ! la supplie Jonah.

— Je ne te connais pas !

— Mais si ! C'est moi, Jonah.

— Non ! Tu es un cadavre. Un épouvantail !

— S'il te plaît, Mary ! Toi et moi...

— Recule ! crie Mary, terrorisée.

Jonah tend les bras vers elle.

— Bon, je t'aurai prévenu ! fait-elle en ramassant une poignée de pierres. Recule !

Jonah ne l'écoute pas. Il continue d'avancer en titubant. Mary lui lance des cailloux à la tête.

— Recule ! Recule !

Les pierres blessent Jonah au visage. Sa joue gauche se met à saigner. Choqué, il s'arrête. Il baisse les bras, puis s'écroule au sol en pleurant des larmes de sang. Il se prend la tête entre les mains et sanglote.

Les voisins détournent le regard. On n'entend plus que les sanglots de Jonah, au milieu d'un silence atroce. Puis la voix de Mme Tafa s'élève :

— Viens là, Léo ! crie-t-elle à son mari.

Elle est déjà chez elle, derrière ses volets fermés.

M. Tafa baisse la tête et rentre chez lui en traînant les pieds. Bientôt, tout le monde l'imite. Un par un, les gens se retirent, disparaissent dans leurs maisons, jusqu'à ce que la route entière, et même les prés qui la bordent soient déserts.

Mary est la dernière à partir.

— Désolée, vieil ami, chuchote-t-elle à Jonah. Sans rancune.

Jonah pousse un hurlement, et Mary dévale la route comme si le diable était à ses trousses.

Maman s'agenouille près de lui. Jonah refuse de la regarder ; il ne veut même pas lui parler.

— Tu peux rester ici ou entrer dans la maison, lui dit-elle. On va te donner une couverture et un bol d'eau.

Elle me presse le bras, et je l'aide à regagner la maison. Elle retourne se coucher.

— Tu veux bien t'en occuper ? me demande-t-elle avant de fermer les yeux.

Je n'en suis pas sûre, mais je hoche quand même la tête. J'essaie de me rappeler les paroles du docteur, chez Esther. J'enveloppe mes mains dans des sacs en plastique pour apporter à Jonah l'eau et la couverture. Il s'est recroquevillé sous la remorque et me tourne le dos. Je pose l'eau près de sa tête. Il frissonne quand je l'enveloppe dans la couverture.

— Repose-toi.

Il ne répond pas. Il a les yeux vitreux ; je ne sais même pas s'il est conscient de ma présence.

Je vais frapper à la porte des Tafa. À l'intérieur, j'entends Mme Tafa murmurer :

— Ne fais pas de bruit, elle croira qu'on est sortis.

Je crie :

— Je ne suis pas sourde. Je sais que vous êtes là ! Jonah est très malade. Est-ce que je peux utiliser votre téléphone pour appeler un docteur ?

— On ne veut pas être mêlés à ça, braille Mme Tafa. Ce ne sont pas nos affaires !

— C'est bien la première fois que ça vous dérange !

« Tant pis, me dis-je. L'hôpital n'est pas loin. » Je préviens maman, puis j'enfourche mon vélo et je commence à pédaler. L'air me fait du bien. Je retrouve un semblant de lucidité. Mais, presque aussitôt, une pensée terrible s'impose à moi. Je me mets à trembler de tout mon corps ; je tombe de bicyclette et je vomis au bord de la route.

Jonah a le sida, et Jonah a couché avec maman.

Je pense à leurs bébés morts.

Et aux migraines de maman. À sa fatigue. À ses articulations douloureuses. À sa maigreur. Pas étonnant que les herbes n'aient servi à rien. Le problème de maman, ce n'est pas l'insomnie, ni l'arthrite, ni la fatigue. C'est plus grave. C'est...

Maman ! Oh, mon Dieu, s'il te plaît ! Non !

23

Je remonte sur mon vélo et je poursuis mon chemin jusqu'à l'hôpital en m'interdisant de céder à la panique. Peut-être que Jonah a été infecté depuis la dernière fausse-couche de maman. Peut-être qu'ils avaient arrêté d'avoir des rapports. Peut-être que les migraines de maman sont dues au chagrin, après tout. Peut-être qu'elle va bien.

Peut-être.

J'enchaîne mon vélo au grillage devant l'entrée des urgences et j'entre en trombe dans le bâtiment, en manquant de renverser un homme avec des béquilles. La salle d'attente est pleine à craquer, même les rebords des fenêtres sont occupés ! Des femmes bercent des bébés qui hurlent, des hommes tiennent des chiffons devant des plaies, des vieillards patientent, assis par terre, des enfants crient et courent partout... Dans le fond, le couloir est encombré de brancards. Certains patients sont entourés de leur famille. D'autres, couverts d'un linceul, sont là en attendant d'être emportés à la morgue.

— Numéro 148 ? fait une voix.

Je repère la réception. Plusieurs dizaines de personnes sont agglutinées devant le guichet ; je les dépasse en jouant des coudes.

— Il me faut une ambulance tout de suite ! dis-je à la réceptionniste.

— Vous avez le numéro 148 ?

— Non, mais c'est une urgence !

— Ici, il n'y a que des urgences, explique-t-elle en me montrant la salle.

— Moi, je suis le 148 ! s'écrie une femme au visage couvert de cloques.

Résignée, je fais demi-tour et je prends un numéro au distributeur. C'est le 172. Je vais devoir attendre une éternité.

Le temps s'écoule. Je me laisse étourdir par les allées et venues des infirmiers et des malades, les cris, les gémissements, les sonneries, les sons de cloches, et l'inquiétude. Quand c'est enfin mon tour, la réceptionniste m'introduit dans une vaste salle, où s'alignent des boxes délimités par des cloisons à mi-hauteur. Dans chacun, une infirmière prend des notes sous la dictée des patients ou de leurs parents. Quelques-uns sont hystériques.

Une femme d'une cinquantaine d'années vient me chercher. Elle porte des lunettes cerclées de fer et son nom est inscrit sur sa blouse : B. Wiser. Elle m'escorte jusqu'à son bureau, enfoui sous une pile de dossiers et de formulaires multicolores. Elle a même une boîte de mouchoirs en papier. Elle m'offre sa seule chaise pliante, s'appuie contre le bureau, prend un stylo et un bloc :

— Je dois noter quelques informations personnelles...

Je lui donne mon nom, mon âge et mon adresse.

— Parfait.

Elle sourit et tapote le bout de son stylo contre son menton.

— Alors, que puis-je faire pour vous ?

L'angoisse me serre la gorge. Je ne peux pas lui confier mon problème à haute voix. Je ne veux pas qu'il en reste de traces écrites, ni qu'on puisse faire le lien avec ma famille.

— Un homme a été battu, dis-je. Il perd du sang. Il s'est réfugié sous une remorque, devant chez moi.

— Vous avez appelé la police ?

— Non. Il n'a pas besoin de la police. Il a besoin d'un docteur.

— Je suis désolée, dit l'infirmière, nous n'avons pas assez de médecins pour les visites à domicile. Appelez la police. S'il est gravement blessé, ils l'amèneront ici.

— Non, je ne crois pas. Ils ne voudront pas le toucher. Ils ne s'approcheront pas de lui.

Je retiens ma respiration et je prie pour que personne ne m'entende chuchoter :

— Il est très maigre.

L'infirmière a saisi l'allusion. Elle pose son bloc-notes et me prend la main :

— On va vous envoyer une assistante sociale, mais elle ne pourra venir que lundi en huit, au plus tôt. Ce monsieur devra quand même trouver un endroit où habiter. On n'a plus de lits vacants ici. Où est sa famille ?

— Il n'en a plus.

Les larmes me montent aux yeux :

— Et il ne veut pas entrer dans la maison.

L'infirmière me propose un mouchoir.

— Non, merci. Ça va.

Je lui explique comment venir chez nous et je décris notre maison, pour que l'assistante sociale n'aie pas de mal à la trouver.

Elle note tout.

— D'ici là, assurez-vous qu'il est couvert et donnez-lui beaucoup d'eau à boire.

— C'est ce que j'ai fait.

— Bien. L'assistante sociale pourra lui faire un test de dépistage du sida, pour confirmer vos craintes. Quant à vous, prenez vos précautions. Utilisez ceci à chaque fois qu'il doit être changé.

Elle fouille dans un placard et me tend une boîte de gants en caoutchouc.

Je baisse les yeux.

— C'est dur, n'est-ce pas ? me dit-elle avec douceur.

Elle s'avance vers moi et me serre dans ses bras.

Quand je quitte l'hôpital, le soleil est couché depuis longtemps. L'avenue principale est équipée de réverbères, mais les rues adjacentes sont plongées dans l'obscurité, sauf quand des voitures passent au ralenti devant les prostituées. L'avenue s'achève à la lisière du centre-ville. Ensuite, j'emprunte de préférence des rues éclairées, et je presse l'allure chaque fois que je dois traverser une zone d'ombre entre deux réverbères.

Tout du long, je me demande si je n'aurais pas dû parler à l'infirmière de maman. De ses problèmes de santé. De mes craintes. Je ne sais pas. Je me sens perdue.

Arrivée dans notre quartier, j'ai une drôle d'impression, comme si quelque chose ne tournait pas rond. C'est trop tranquille pour un samedi. Pourquoi n'y a-t-il pas de chants, de fêtes dans les jardins ? Même le ghetto blaster des Lesole est silencieux. Non loin de chez nous, je remarque une tente funéraire. « Enfin des gens », me dis-je. Je m'approche à vélo ; ils sont assis en cercle autour d'un feu, figés comme des cadavres.

J'ai une boule dans l'estomac, qui grossit à mesure que j'approche de la maison. Une lampe est allumée dans le séjour. Soly et Iris sont derrière la fenêtre et regardent dehors à travers les lattes du volet. Tout semble normal, et pourtant...

Avant d'entrer, je m'approche de la remorque. Le bol de Jonah est renversé près de la roue. Je m'agenouille et je scrute l'obscurité :

— Jonah ?

Je tends l'oreille dans l'espoir de discerner un claquement de dents, un bruit de respiration, un bruissement de couverture. Rien. Je répète :

— Jonah ?

Une voix s'élève derrière moi :

— Jonah est parti.

Je me retourne. C'est maman.

— Qu'est-ce que tu fais ici ? dis-je dans un souffle.

— Je t'attendais.

— Où est Jonah ?

— Je ne sais pas.

Sa voix est lointaine :

— Ils disent qu'il est parti au coucher du soleil.

— Qui ça, ils ?

— Mme Tafa.

Je réfléchis à toute vitesse :

— Oh, mon Dieu, maman, il est mort, c'est ça ? Quelqu'un est revenu et a fait quelque chose.

— Pourquoi quelqu'un ferait-il quelque chose ? Il est

parti de son plein gré. Il voulait partir. Pour être seul. C'est ce qu'a dit Mme Tafa.

Maman s'appuie de tout son poids sur sa canne :

— Allez, viens ! On a de la visite.

24

Notre visiteuse, c'est Mme Gulubane, la guérisseuse. Elle habite dans une hutte de mopane, de l'autre côté de la décharge, avec sa vieille maman et une fille adulte née sans yeux.

En temps ordinaire, Mme Gulubane porte une robe de coton, un foulard, un vieux cardigan et une paire de sandales en caoutchouc. Mais, ce soir, c'est différent : elle est là pour affaires. Elle arbore son chapeau de loutre, sa robe blanche brodée d'étoiles, son écharpe rouge et son collier de dents d'animaux.

La table de la cuisine et les chaises ont été poussées contre les murs. Mme Gulubane a déroulé sa natte de bambou au centre de la pièce. Au moment où j'entre, elle est déjà dessus, assise en tailleur. À sa droite, il y a un bouquet de menthe et un pichet d'eau ; à sa gauche, un panier d'osier et une poignée d'os séchés. C'est ainsi qu'elle se met en scène le week-end, au centre-ville, pour dire la bonne aventure aux touristes, tandis que sa fille fabrique des chapeaux de paille.

J'adore regarder Mme Gulubane embobiner les touristes qui déambulent dans le bazar. Contrairement à la plupart des sorciers, elle n'essaie pas toujours de contenter ses clients. Si elle est de mauvaise humeur, elle leur annonce que leur femme les trompe avec le voisin ou que leurs enfants vont être déchiquetés par des chiens sauvages. S'ils se fâchent et réclament leur argent, sa fille arrache les pansements qui masquent ses orbites vides et les menace de les frapper avec sa canne. C'est incroyable comme les touristes peuvent courir vite — même chargés de souvenirs et de caméras vidéo.

Toutefois, ce soir, je ne m'attends pas à une partie de plaisir. Dans le quartier, Mme Gulubane prend son rôle beaucoup plus au sérieux. La plupart des voisins aussi, d'ailleurs. Même des gens intelligents. Elle peut faire tous les bruits qu'elle veut dans sa case, nul ne s'en plaint jamais. Je ne sais pas combien de personnes croient en ses pouvoirs, mais une chose est sûre : aucune ne veut risquer de s'attirer une malédiction.

— Bonsoir, Chanda, me lance Mme Gulubane sans se lever.

La lampe fait scintiller ses deux dents en or.

J'incline respectueusement la tête. Mes pensées sont moins polies : « Qu'est-ce qu'elle fabrique ici ? »

Elle lit en moi :

— Cette maison est ensorcelée. Je suis passée voir ce que je peux faire.

Je regarde maman d'un air perplexe. Pourquoi lui a-t-elle demandé de venir ? Elle ne croit pourtant pas aux sorciers.

— Ce n'est pas ta maman qui m'a appelée, dit Mme Gulubane avec un sourire. J'ai été envoyée par une amie.

— Bonsoir, Chanda ! fait une voix dans mon dos.

C'est Mme Tafa. Elle ferme les volets.

Mme Gulubane montre le sol devant sa natte :

— Maintenant que tout le monde est là, est-ce qu'on peut commencer ?

Maman acquiesce. Elle me tend son bâton et s'appuie sur mon bras. Je l'aide à s'asseoir et je m'installe à côté d'elle. Soly et Iris se blottissent entre nous. Mme Tafa pose son derrière sur une chaise ; je devine qu'elle ne veut pas s'asseoir par terre, de crainte de ne plus pouvoir se relever.

Mme Gulubane baisse la flamme de la lampe. Des ombres vacillent sur les murs. Elle pêche dans son panier une vieille boîte de cirage, pleine d'une poudre marron-vert, entame une prière et lance des pincées de poudre dans l'eau. Puis elle se lève, trempe le bouquet de menthe dans le pichet et danse autour de la pièce en aspergeant les murs, les portes et les fenêtres.

Je ne parviens pas à déchiffrer l'expression de maman, mais Soly et Iris sont terrorisés.

— Ne vous inquiétez pas, leur dis-je à mi-voix. C'est juste un spectacle.

Mme Gulubane s'arrête net, fait mine de tendre l'oreille dans notre direction et nous regarde en grondant. Soly enfonce sa tête sous mon bras.

Mme Gulubane retourne à sa natte. Elle tire de son panier une corde à sauter rouge, la plie en deux et se fouette avec. Un gargouillis étrange s'échappe de sa gorge, et de l'écume sort de ses lèvres. Ses yeux se révulsent.

— HI-E-YA !

Elle lance les bras en arrière, se raidit avant de s'écrouler en un tas informe.

Après un moment de silence, elle s'assied lentement et attrape les os. Ils sont plats et usés, probablement tranchés dans les côtes d'un gros animal. Mme Gulubane en prend trois dans chaque main. Sans cesser de psalmodier, elle les frappe trois fois les uns contre les autres, les lâche et scrute le motif qu'ils dessinent. Quelque chose la contrarie. Elle se tait, met deux os à l'écart, psalmodie de nouveau, frappe les quatre os restants et les jette. Son front se ride. Elle met encore deux os de côté et ramasse les deux qui restent. Une dernière litanie. Elle frappe les os l'un contre l'autre. L'un d'eux se brise en trois. Les fragments tombent sur la natte. Elle les étudie attentivement, marmonne et secoue la tête.

Elle relève les yeux. Dans la lumière de la lampe, ses traits se déforment et son visage évoque celui d'un vieillard. Sa voix aussi est transformée. Elle est basse et gutturale. Elle avale des bouffées d'air et éructe ses mots : « Un vent mauvais souffle du nord. Il y a un village. Je vois la lettre T. »

Un silence.

— Tiro, dit maman d'une voix lasse et résignée.

— Oui, Tiro. Une personne à Tiro te veut du mal.

— Une seule ? demande maman.

Je l'observe. N'y avait-il pas de la moquerie dans sa voix ?

Mme Gulubane la regarde sévèrement :

— Non, plus d'une. Mais une plus que les autres.

Elle déplace les os, secoue la tête et fait claquer sa langue à toute vitesse.

— Je vois un corbeau. Il saute sur une seule patte.

Mme Tafa retient sa respiration.

— La sœur de Lilian a un pied-bot, murmure-t-elle.

Triomphante, Mme Gulubane frappe dans ses mains :

— Les os ne se trompent jamais. C'est ta sœur, dit-elle à maman. Elle est venue chez toi ?

— Elle est venue pour l'enterrement de ma Sara, répond maman, et quand j'ai enterré mon défunt mari.

— La mort. Elle est venue pour la mort ! gronde Mme Gulubane. Et pour voler de quoi t'envoûter.

— Lizbet ? s'étrangle Mme Tafa.

Mme Gulubane acquiesce sombrement :

— Après son départ, est-ce qu'il te manquait quelque chose ? demande-t-elle à maman.

— Rien.

— Tu ne t'en souviens pas, mais peut-être qu'un vieux mouchoir avait disparu ? Un chiffon ?

— Je ne sais pas.

— Elle est maligne, celle-là ! s'exclame Mme Gulubane. À chaque fois qu'elle est venue, elle t'a volé un mouchoir, un foulard, quelque chose de si vieux que tu ne t'en es pas aperçue. Elle t'a coupé une mèche de cheveux — une toute petite mèche — pendant que tu dormais. Elle s'en est servie pour t'ensorceler. Elle a lancé un sortilège à ton utérus, et maintenant le démon est lové dans ton ventre.

Sans prévenir, Mme Gulubane se penche brusquement en travers de la natte et balance un grand coup de poing dans l'estomac de maman, qui hurle de douleur. La guérisseuse retire lentement son poing. Un serpent se tortille frénétiquement au bout de son bras. Elle le lance contre le mur et l'attaque avec la canne de maman.

L'air vibre de magie. Il résonne de bruits d'animaux, de beuglements, de barrissements, de gloussements... Mme Gulubane tournoie sur elle-même en frappant le reptile. Enfin, elle s'en saisit et en fait un nœud. Elle brandit le corps sans vie au-dessus de sa tête. Son ombre apparaît sur le mur.

— J'ai tué ce démon, dit-elle, mais il y en aura d'autres. La mauvaise a tes mouchoirs, tes mèches... elle tissera d'autres sortilèges. Elle a coupé des poupées dans tes mouchoirs, elle leur a cousu les yeux et la bouche, et les a remplies de poivre de Cayenne. Voilà pourquoi ton corps souffre. La nuit, elle fait roussir tes cheveux. Voilà pourquoi ton esprit souffre. Prends garde ! Tu dois récupérer ce qu'elle t'a volé, ou vous mourrez, toi et tes enfants.

Dans un silence abasourdi, nous regardons Mme Gulubane ranger le serpent, le pichet, la menthe et la corde à sauter dans son panier, puis rouler sa natte. Elle la coince sous son aisselle, soulève le panier et se dirige vers la porte.

Mme Tafa lui court après :

— Pour ta peine, lui dit-elle en plaçant quelques pièces dans sa main libre. Demain, je demanderai à la famille d'apporter deux poulets pour le sacrifice.

Mme Gulubane hoche la tête et disparaît dans la nuit.

25

— Un sortilège ! s'écrie Mme Tafa, triomphante. Qu'est-ce que je t'avais dit, Lilian ? Viens, il faut qu'on parle.

Maman se lève lentement et la suit dehors. Elles s'assoient côte à côte sur des seaux retournés. Mme Tafa se lance dans un bavardage incohérent, à grand renfort de gestes des bras. Maman ne répond rien. Elle a le regard perdu dans le vide.

Soly et Iris les observent depuis le seuil.

— C'est vrai ? chuchotent-ils. On va mourir ?

— Non ! dis-je en les tirant dans la maison. Aucun de nous ne va mourir.

— Mais Mme Gulubane a dit que...

— Mme Gulubane aime bien s'écouter parler.

— Non ! souffle Iris. Elle parle aux esprits !

— Elle fait semblant. La magie n'existe que dans les

livres. À l'école, M. Selamame nous parle souvent des sorciers et de leurs prétendus pouvoirs.

— Mais les bruits d'animaux...

— C'est Mme Gulubane qui les fait. Elle est ventriloque.

— Mais le serpent...

— Il était caché dans une poche, dans sa manche.

— Pourquoi sa manche ne bougeait pas, alors ?

— Parce que le serpent était mort depuis le début. Elle nous a fait croire qu'il était vivant en le secouant avec le bâton de maman.

— Mais...

J'explose :

— Mais, mais, mais, mais, mais ! Vous n'allez pas mourir, un point c'est tout ! Maintenant, brossez-vous les dents et au lit !

Tout en les bordant, je maudis Mme Gulubane. Et je maudis Mme Tafa, qui lui a demandé de venir. À cause de ces vieilles biques, Soly va mouiller sa couche pendant des siècles.

Je fais un gros câlin aux deux petits :

— Pardon d'avoir crié sur vous.

— C'est pas grave, dit Iris.

Pour une fois, elle laisse ses bras autour de mon cou :

— Chanda, s'il te plaît, ne te fâche pas... Si Mme Gulubane fait juste semblant, pourquoi maman la croit ?

— Maman ne la croit pas. Elle a fait semblant de la croire pour qu'elle s'en aille plus vite.

Iris réfléchit à ce que je viens de dire :

— Si maman faisait semblant, pourquoi elle est encore dehors avec Mme Tafa ?

— Pour être polie.

Iris fronce les sourcils. Soly l'imite.

— Vous voulez de la lumière ?

Ils hochent la tête.

Le temps que je leur installe une lampe, maman est rentrée se coucher. Elle a tiré le rideau devant sa porte.

— Maman ?

Comme elle ne répond pas, je jette un coup d'œil dans sa chambre. Elle est pelotonnée sur son matelas, une taie d'oreiller pleine de vêtements posée près d'elle.

— Je pars pour Tiro demain, me dit-elle.

Je me retiens au chambranle de la porte :

— Quoi ?

— Je dois y aller. Mme Gulubane a lu le message des os.

— Elle n'a rien lu du tout ! Elle n'a fait que répéter des ragots. Des choses qu'elle tenait de Mme Tafa, ou de n'importe qui.

Maman se masse les tempes :

— Cette maison est ensorcelée.

— Tu ne crois pas à ces histoires !

— Vraiment ? me défie-t-elle. Alors, regarde-moi dans les yeux et dis-moi pourquoi ma Sara est morte. Dis-moi pourquoi mon Jonah se meurt. Dis-moi pourquoi mes articulations me font souffrir et pourquoi j'ai atrocement mal à la tête.

Je brûle de lui dire la vérité. Si seulement j'osais... Mais, si j'en parle, les choses existeront pour de bon. Ici. Tout de suite.

— Mme Tafa m'a promis de veiller sur vous. Elle t'aidera à t'occuper d'Iris et de Soly.

— Maman, tu ne peux pas t'en aller ! Tu n'es pas assez en forme pour voyager.

— Ne dis pas n'importe quoi. Ça me fera du bien de prendre l'air.

Je ne suis pas loin de la supplier, lorsque je sens une odeur de fumée ; j'entends un crépitement. Ça vient de devant la maison ! Je cours à la fenêtre du séjour et je découvre, au bord de la route, la remorque en flammes.

Je me précipite dans la cour, suivie de maman, de Soly et d'Iris. La rue est déserte. L'auteur du forfait, quel qu'il soit, s'est sauvé dans la nuit. Je regarde la maison de Mme Tafa. Ses volets sont fermés, ainsi que tous ceux des voisins, à droite comme à gauche. Je jurerais qu'ils sont postés derrière leurs persiennes, dans l'obscurité ; pourtant, pas un seul ne sort

Maman redresse brusquement lēs epaules, comme le

jour où nous avons quitté Isaac Pheto. Puis elle lance sa canne en avant et déclare :

— Laissons la remorque brûler.

Elle se détourne, majestueuse telle une reine dans la lueur des flammes, et nous escorte dans la maison.

Dès qu'Iris et Soly, rassurés, sont retournés se coucher, elle s'effondre sur son lit. Je m'assieds à son chevet et je lui prends la main.

— Tu vois, Chanda, me dit-elle, peu importe ce que je crois. Mme Gulubane nous a rendu visite. Si je ne pars pas à Tiro, je nous expose à ce genre de folie. Et qui sait ce que ce sera, la prochaine fois ?

26

Le dimanche matin arrive trop vite.

Assis à la table de la cuisine, nous mangeons notre porridge en silence. Tandis que je débarrasse la table, maman annonce aux petits qu'elle a quelque chose d'important à leur dire. Sans la laisser ajouter un mot, Iris lâche :

— Tu t'en vas, c'est ça ?

Maman hoche la tête :

— Pas pour longtemps.

— Je te l'avais dit ! s'écrie Iris en se tournant vers Soly. Furieuse, elle quitte la table et fonce vers la porte.

— Iris, reviens, je n'ai pas terminé ! lui crie maman.

Iris l'ignore. Elle sort très dignement et se laisse tomber par terre, les jambes croisées.

Je me lève :

— Iris, maman te parle.

Ma petite sœur fait comme si nous n'existions pas. Elle se met à parler aux poules qui picorent dans la cour. Je m'apprête à aller la chercher ; maman m'arrête d'un geste.

Soly n'a pas bronché, mais des larmes coulent sur ses joues et gouttent de son menton. Il ne prend pas la peine de les essuyer. Maman l'enlace.

— Ce n'est qu'un voyage, murmure-t-elle.

Un énorme soupir lui soulève les épaules, et il hoquette :

— Quand les gens p-partent en voyage, ils ne reviennent pas.

— Moi, je vais revenir ! Je dois juste aller voir de la famille à Tiro. N'est-ce pas, Chanda ?

— Oui, c'est vrai.

Mon petit frère ouvre des yeux comme des soucoupes :

— Promis ?

— Promis, dit maman en lui embrassant le front. Pendant mon absence, Chanda s'occupera de vous. Elle aura besoin de votre aide. Est-ce que vous l'aiderez ? Pour moi ?

Soly hoche la tête en étouffant encore quelques sanglots. Ça fait beaucoup pour lui.

— Il n'y a aucune raison de s'inquiéter, continue maman. Au pire, Mme Tafa est à côté, et elle a le téléphone.

— Tu reviens quand ? demande-t-il.

— Dans quelques jours, peut-être dans une semaine.

Silence.

— Et tu pars quand ?

— Cet après-midi. Après la visite aux cimetières.

— Je peux venir avec toi ?

— C'est un trop long voyage pour un petit bonhomme.

— Pas à Tiro, aux cimetières ! Je veux rester avec toi jusqu'à ce que tu t'en ailles. S'il te plaît, maman ? Chanda peut y aller, elle, alors pourquoi pas nous ?

Maman me regarde. Je hausse les épaules :

— Ils sont assez grands. En plus, ça permettra à I-R-I-S de régler la question de S-A-R-A.

Pendant que maman va chercher Mme Tafa, je prépare Iris et Soly. Je pensais qu'Iris serait partante pour l'aventure, elle aussi, mais elle boude encore :

— Je ne veux pas aller aux cimetières.

— Si tu viens, tu pourras mettre ta robe du dimanche.

— Je déteste ma robe du dimanche !

— Menteuse !

— Si, je la déteste ! D'abord, elle n'est même pas vraiment à moi. Elle était dans la poubelle de l'église. Elle appartenait à quelqu'un d'autre qui n'en voulait plus. Moi non plus, je n'en veux pas !

Je croise les bras :

— Iris, tu viens, un point c'est tout ! Maintenant, lève-toi et avance.

Iris cesse de discuter. Plus exactement, elle cesse de faire quoi que ce soit. Elle est plantée au milieu de la pièce et me laisse l'habiller comme une poupée de chiffon : un bras et une jambe après l'autre. Je suis obligée de lui plier les genoux et les coudes.

En route, elle n'est pas plus aimable. Maman et Mme Tafa échangent des confidences dans la cabine pendant qu'Iris, Soly et moi sommes accroupis sur la plate-forme, à l'arrière. Pour une fois, Mme Tafa conduit normalement. Est-ce la conversation de maman qui la rend particulièrement calme ? Ou les événements de la veille au soir ? À moins qu'elle ne fasse simplement attention de ne pas nous envoyer dans le décor ? En tout cas, je ne frappe que deux fois sur la vitre pour lui demander de ralentir.

Le voyage enchante Soly. Il me montre les oiseaux et fait des signes de la main à tous les enfants qu'on double, à pied, à bicyclette ou en poussette. Agrippé au rebord du pick-up, le vent dans la figure, il est le roi du pays. Iris, quant à elle, est la reine des grincheuses. Elle ne se déride pas quand on dépasse un chien à trois pattes qui court derrière un phacochère.

Arrivés au cimetière de papa, je prends Soly dans mes bras pour le faire descendre. Je veux aider Iris aussi, mais elle refuse de bouger.

— Pourquoi je ne peux pas rester dans le camion ? Ce n'est pas mon papa !

— Viens pour nous faire plaisir, à maman et moi.

Elle se renfrogne :

— J'ai mal au ventre.

Elle fait le même cinéma au cimetière de M. Dube, et à celui de Sara.

Maman nous réunit autour de la tombe de notre petite sœur.

— Voilà où vit Sara, dit-elle. C'est ici que nous venons pour être avec elle et pour nous rappeler les jours heureux.

Soly imite tout ce que fait maman, tandis qu'Iris feint d'être indifférente. Elle se balance sur ses talons. Je l'attire à l'écart :

— Sois un peu respectueuse, lui dis-je. Sara repose ici.

— Même pas vrai ! Sara n'est pas là, et moi, je sais où elle est !

D'une voix tranquille, elle se met à chantonner :

— Je sais quelque chose que tu ne sais pas ! Je sais quelque chose que tu ne sais pas !

— Si Sara n'est pas là, où tu crois qu'elle est ?

Iris pose un doigt sur ses lèvres :

— C'est un secret. Je lui ai promis de ne pas le répéter.

Je croyais l'amie imaginaire d'Iris disparue, et la voilà qui revient en force ! J'ai envie d'en parler à maman. Je devrais le faire. Je ne peux pas : ça la rendrait folle d'inquiétude. Moi-même, j'en suis malade.

De retour à la maison, Iris, Soly et moi attendons le bus avec maman. La remorque ne fume plus ; une odeur de bois brûlé plane dans l'air.

Maman fait comme si de rien n'était. Elle raconte des histoires drôles. On essaie de rire, pour lui faire plaisir, mais c'est trop dur. Même respirer, c'est dur. Soly est au bord des larmes. Maman s'en aperçoit :

— Soly, qu'est-ce que je t'ai dit ?

— De ne jamais pleurer devant les gens, souffle-t-il.

— C'est ça, murmure-t-elle en essuyant une larme qui perle au coin de son œil. Tu peux pleurer dans la maison, mais pas dehors. Les gens croiraient qu'on a un problème. Tu t'en souviendras ?

Soly hoche la tête.

— Bien, approuve maman en boutonnant son gilet. Si tu sens que tu as envie de pleurer, ferme les yeux et raconte-toi une histoire. Un petit rêve peut faire oublier bien des soucis.

Elle nous regarde gravement :

— Bon, une dernière fois avant mon départ : si on vous demande pourquoi je suis partie, que répondez-vous ?

— On dit que tout va bien, répétons-nous d'un ton morne. Que Mme Gulubane a tout arrangé. Qu'elle t'a envoyée à Tiro pour rompre un sortilège.

— Et aux gens qui ne croient pas aux guérisseurs ?

— Que tu es allée aider notre sœur Lily qui vient d'avoir un bébé.

— Bien.

Nous tournons la tête en entendant claquer la porte de Mme Tafa. Elle trottine vers nous, un panier de pique-nique dans une main, un sac de courses dans l'autre.

— Lilian, halète-t-elle, je ne sais pas où j'avais la tête ! Tu as failli partir sans que je pense à te donner ça.

Elle dépose son chargement à nos pieds et soulève le tissu à carreaux qui couvre le panier de pique-nique. Il est plein d'articles tels qu'on en trouve dans les magasins pour touristes, et qu'on n'aurait jamais les moyens d'acheter : des confitures, des barres chocolatées, des conserves de viande, de fruits au sirop, de jolis flacons de lait pour la peau ou de parfum, un tube d'aspirine...

— Tu ne vas quand même pas aller dans ta famille les mains vides !

Mme Tafa extrait du sac en plastique une robe toute neuve, jaune vif, avec des perruches bleues.

— Tu l'enfileras à la dernière pause pipi avant d'arriver. Sans vouloir te vexer, ta robe a fait son temps.

— Oh, Rose ! s'exclame maman, tu es si généreuse...

— Ne dis pas n'importe quoi. Ton Joshua adorait te voir dans des habits neufs, tu t'en souviens ?

Soudain, j'ai envie de serrer Mme Tafa dans mes bras, de l'embrasser, tellement elle est gentille avec maman.

Mais, une fois que celle-ci l'a remerciée, elle se met à jacasser en continu, et au bout de cinq minutes je souhaite de nouveau qu'elle s'en aille. Elle nous prive de nos derniers instants en famille ; c'est plus précieux que n'importe quel pot de confiture ! Je la regarde durement et j'essaie la télépathie : « Va-t'en, espèce de grosse vache. On veut maman pour nous et rien que pour nous. »

Mme Tafa ne capte pas le message. Pire : elle s'installe. Mon ventre se serre quand je comprends qu'elle a l'intention de rester jusqu'au départ de maman.

— Chanda s'occupe de tout, dit maman. Je l'ai prévenue : si elle a un problème, elle peut venir te trouver.

— Bien sûr, s'exclame Mme Tafa en souriant aux deux petits. Votre Tatie Rose prendra soin de vous, ne vous inquiétez pas.

— Merci, madame Tafa, fais-je. Je suis sûre que tout ira bien.

En fait, je n'en suis pas sûre du tout. Je suis morte de peur, mais je ne veux pas que Mme Tafa déboule dans la maison comme un troupeau d'éléphants pour mettre son nez dans nos affaires.

Le bus de maman arrive, et nous nous levons tous, sauf Iris. Maman s'accroupit pour la serrer dans ses bras, mais elle reste de marbre. Soly, c'est le contraire : il lui fait une tonne de câlins, ferme les yeux et déclare :

— Tu me manques déjà !

J'aide maman à se relever. Elle m'agrippe le bras et cherche mon regard :

— Je compte sur toi. Prends soin d'eux. Que je sois fière de toi.

— Je te le promets.

Elle me presse fort le bras.

Le conducteur l'aide à monter sur la plate-forme ; Mme Tafa lui passe son baluchon, le panier et le sac en plastique :

— Ne t'inquiète pas, Lilian. Je les aurai à l'œil.

Maman sourit et l'ignore.

— Je reviens bientôt, nous lance-t-elle en nous faisant des signes de la main. Je vous aime !

Et elle part.

27

Le reste de la journée est étrange. Quand je m'imagine maman en train de se reposer dans sa chambre, ça va ; en revanche, quand je la vois dans un bus, à des centaines de kilomètres de nous, je suis prise de violents maux de ventre.

Il faut que je parle à Iris de son comportement au cimetière, de sa méchanceté. Qu'est-ce que je lui dis ? Qu'est-ce que maman lui dirait ? Je ne sais pas. Je n'arrive pas à réfléchir. C'est fou. Ces derniers temps, je me suis occupée de tout à la maison, mais maman était là, pour le cas où j'aurais fait une bêtise. Sans elle, même les corvées les plus simples me paraissent insurmontables. J'ai presque peur de faire bouillir de l'eau, de crainte de déclencher une catastrophe.

Avant le dîner, Mme Tafa nous apporte une tourte au poulet. Elle feint d'avoir le cœur léger, mais on dirait qu'elle apporte des victuailles pour un enterrement.

— De quoi vous avez parlé dans la voiture, avec maman ?

— De rien de spécial, ne t'inquiète pas, me dit-elle avant de se sauver.

La tourte a beau être délicieuse, aucun d'entre nous n'a faim. Après le coucher du soleil, je mets les petits au lit et je leur raconte l'histoire de l'impala[1] et du babouin. Puis je vais m'asseoir dehors, contre le mur de la maison. Le ciel est dégagé et les étoiles scintillent. D'ordinaire, je m'émerveille de leur beauté ; ce soir, je les trouve seulement froides et lointaines.

Le poids de la solitude m'empêche de respirer à fond. Je tente de me relever ; mes genoux refusent de m'obéir. Je voudrais que la terre m'engloutisse... Et soudain, alors que tout me paraît absolument désespéré, je m'aperçois que je ne suis pas seule. Perchée sur la brouette, une cigogne me regarde ; ses plumes blanches reflètent la clarté de la lune.

Je n'en crois pas mes yeux. Normalement, la nuit, les cigognes dorment. Elles ne viennent pas en ville : elles restent près de l'eau, où elles peuvent se nourrir de poissons. À cette période de l'année, on n'en trouve que dans les marécages, autour du barrage de Kawkee. C'est loin d'ici.

---

1. Impala : antilope d'Afrique australe et orientale.

Je chuchote des paroles de bienvenue :

— Dumêla mma moleane[2].

La cigogne tend le cou. Pour un peu, je croirais qu'elle me sourit.

— Qu'est-ce qui t'amène ici ?

Elle incline la tête.

— Est-ce que tu es un ange porte-bonheur ?

Je me sens ridicule d'avoir dit ça. Je suis trop vieille pour croire encore aux contes. La cigogne s'en moque. Elle fait deux pas dans ma direction et s'immobilise, une patte en l'air, comme si elle hésitait à en faire un troisième.

Nous nous fixons. Le temps s'arrête. La terre cesse de tourner. Ma tension se relâche. Je ferme les yeux, et je vois maman avec son corps d'avant. Elle me prend dans ses bras potelés et j'entends son rire, rond et puissant. Sa chaleur se communique à mon cœur, qui rougeoie.

Quand je me réveille, la cigogne est partie. Peu importe, mon rêve a laissé dans son sillage de petites étincelles de joie qui dansent en moi comme des lucioles. Je souris, je me frotte les yeux et je m'étire. Puis je rentre sur la pointe des pieds, pour ne pas réveiller mes bébés.

---

2. Bonjour, madame la cigogne.

Mes bébés. C'est ce qu'ils sont désormais. À la porte de la chambre, je les entends chuchoter sous leurs draps. Je les écoute en silence.

— Le papa de Chanda est mort, dit Iris à Soly, et ton papa aussi, mais le mien est vivant.

J'ai un coup au cœur. Iris avait beau connaître l'existence d'Isaac Pheto, elle n'avait jamais parlé de lui. Ce soir, c'est différent.

— Mon papa est vivant, répète-t-elle. Si tout le monde meurt, j'irai vivre avec lui.

— Comment tu sais qu'il voudra de toi ? lui demande Soly

— Il me l'a dit. Il a une grande maison et il m'a promis que je pourrais choisir la chambre qui me plaira. Elle sera rien que pour moi.

— Menteuse ! Tu ne l'as jamais vu.

— Si !

— Où ça ?

— À l'école. Il vient tout le temps me chercher et il m'emmène faire des tours dans sa grande voiture jaune. Il m'achète des glaces. Il a aussi un avion. Il est très riche. C'est le plus gros patron de la mine.

— Si c'est vrai, pourquoi il n'est jamais venu ici ? la défie Soly.

— À cause de maman. Elle s'est sauvée avec ton papa. Mais ton papa est mort, et c'est bien fait pour elle !

— Tu es méchante !

— Et alors ?

Soly devient très silencieux.

— Iris, si tout le monde meurt et si tu vas vivre avec ton papa... où j'irai, moi ?

— Comment tu veux que je le sache ?

Soly commence à renifler.

— Prends-moi avec toi.

— On verra... Seulement si tu arrêtes de faire pipi au lit.

J'entre dans la chambre :

— Est-ce que tout va bien ?

Soly ouvre la bouche pour parler. Iris lui donne un coup de pied.

— Oui, ça va. Soly est triste, c'est tout.

— Moi aussi.

J'attends, espérant qu'ils en diront plus, mais rien ne vient.

— Alors, bonne nuit. Je viens bientôt me coucher.

— Bonne nuit.

À la seconde où je sors, Iris chuchote à Soly :

— Ne répète pas ce que j'ai dit, ou j'en parlerai à mon papa, et tu seras seul pour toujours.

28

Le lendemain, après avoir lavé la vaisselle du petit déjeuner, je conduis Soly à la haie qui sépare notre jardin de celui de Mme Tafa. Elle a proposé à maman de veiller sur lui le matin, pendant qu'Iris et moi serions à l'école. Elle a aussi offert de s'occuper d'Iris l'après-midi, mais je préfère rentrer à la maison pour la surveiller, à cause de son amie imaginaire.

Soly est bien silencieux ce matin. Je repense à ce que lui a dit Iris. Juste avant d'arriver à la haie, je l'arrête et je fais semblant de lui nettoyer la joue.

— Pour le cas où on te dirait le contraire, Soly, je veux que tu saches que tu ne seras jamais seul. Maman t'aime et elle va bientôt rentrer à la maison. Mme Tafa t'aime et elle habite juste à côté. Moi aussi, je t'aime et je ne vais nulle part.

Un silence. Soly lève les yeux et sourit timidement :

— Sauf à l'école.
— Sauf à l'école.
— Et sauf à la fontaine.
— Et sauf à la fontaine.
— Et sauf à...

Je lui caresse la tête et je le soulève au-dessus de la haie, pour le passer à Mme Tafa qui tend les bras. De retour dans la maison, je range mes livres dans mon cartable et j'entreprends de coiffer Iris.

— Mes nattes sont trop serrées ! gémit-elle.
— Tais-toi, ou je les serre encore plus !
Elle obéit.

Je la conduis à pied à l'école maternelle, en poussant mon vélo entre nous. Iris fait comme si je n'existais pas. Avant de la quitter dans la cour de récréation, je lui demande :

— Soly était vraiment contrarié hier soir. Est-ce que tu lui as raconté des histoires ?
— Ça ne te regarde pas.
— Tout me regarde.
— Tu n'es pas maman ! se défend-elle.
— Eh si ! Quand maman n'est pas là, c'est moi qui commande. C'est la règle numéro un. La règle numéro deux, c'est d'être gentille avec Soly. Et la règle numéro trois, c'est de rentrer à la maison immédiatement après l'école. Je n'accepterai aucune excuse.
— Je fais ce que je veux !

Iris rejette la tête en arrière et court rejoindre un groupe d'amies.

Je suis tentée d'aller la chercher et de la ramener en la tirant par les cheveux. Mais après ? Si elle s'échappe en riant, j'aurai l'air d'une idiote. Et, si je ne fais rien, c'est pire : je *suis* une idiote. Je la laisse gambader sans broncher. Je suis lâche.

La première sonnerie retentit. Je vais être en retard au lycée. Je cherche du regard Mme Ndori, la maîtresse d'Iris, pour lui conseiller de la surveiller de près. On dirait qu'elle n'est pas encore arrivée, et je ne peux pas l'attendre. De toute manière, je ne suis pas sûre que ça changerait grand-chose. Mme Ndori est devenue institutrice à la mort de son mari. Elle est trop gentille, et ses élèves la font tourner en bourrique. On raconte qu'elle boit.

J'arrive en classe *in extremis*. Les cours les plus difficiles – maths, physique et chimie – sont le matin, tandis que mes matières préférées – l'anglais, l'histoire et la géographie – sont enseignées l'après-midi. Comme je suis meilleure dans les matières que j'aime, c'est moins grave si je manque les cours de l'après-midi.

À l'heure du déjeuner, je frappe à la porte de la salle des professeurs.

J'ignore si mes profs ont entendu parler des événements du week-end. S'ils font des commérages sur leurs élèves autant qu'on en fait sur eux, ils sont sans doute au courant de tout. Heureusement, ils n en laissent rien paraître.

Je les avertis que je vais devoir manquer quelques cours. Ils se montrent compréhensifs, mais soucieux.

— J'ai eu tant d'élèves qui avaient prévu de ne manquer qu'une semaine ou deux et que je n'ai jamais revus, dit M. Selamame. Tu es sur le point d'avoir ton diplôme, Chanda. À deux doigts d'obtenir une bourse. Fais attention. Je m'inquiète pour toi.

— Il ne faut pas. Je ne vous laisserai pas tomber. J'ai des rêves, souvenez-vous.

Le lycée ne possède pas assez de manuels scolaires pour que chaque élève ait le sien ; en revanche, ils sont tous à la bibliothèque. Je promets à mes professeurs d'arriver en avance le matin et de travailler avant le début des cours. Je m'engage aussi à faire tous les devoirs à la maison. Quant aux contrôles... Je n'ai qu'à espérer que maman sera de retour d'ici là.

M. Selamame m'offre un marque-page où figure un énorme soleil.

— Si tu as besoin de délais supplémentaires, n'hésite pas à me demander, me dit-il.

Je passe plus de temps que prévu à discuter avec les professeurs, et, quand j'arrive devant l'école maternelle, les enfants sont déjà sortis. Je pédale à toute vitesse dans l'espoir de rattraper Iris au bord de la route. Je ne la vois nulle part. J'ai un affreux pressentiment. En arrivant chez nous, j'abandonne mon vélo dans la cour et je fonce dans la maison :

— Iris ?

Pas de réponse.

— Iris ??

« Est-ce que j'ai été trop dure avec elle ? »

— Iris ???

« Est-ce qu'elle a fugué ? Est-ce que j'ai eu tort de la brusquer ? »

Paniquée, je me rue dehors.

De l'autre côté de la haie, Mme Tafa me fait signe :

— Chanda, coucou ! Iris est là. Elle mange un bol de seswa avec Soly.

Je saute par-dessus la haie. Iris est assise par terre à côté de Mme Tafa et mastique joyeusement.

— Tu es en retard ! remarque-t-elle.

— Il fallait que je parle avec mes professeurs.

— Ah ! répond-elle d'un ton arrogant. Je croyais qu'on n'acceptait aucune excuse...

J'ai envie de la gifler, et le fait que Mme Tafa éclate de rire n'arrange rien.

— Elle n'a pas la langue dans sa poche, cette petite, glousse-t-elle.

Iris bat des paupières et se pelotonne contre Mme Tafa.

— À propos, reprend cette dernière, ta mère a téléphoné. Elle est bien arrivée à Tiro.

— Quand doit-elle rappeler ?

— Elle ne l'a pas dit. Ne t'inquiète pas, va. Je te passerai les messages.

— Merci, mais j'aimerais mieux lui parler moi-même.

Mme Tafa examine ma requête.

— Bon, on verra, si tu es là, finit-elle par lâcher.

Toute la semaine, j'accompagne Iris à l'école sans pouvoir mettre la main sur son institutrice. Enfin, le vendredi matin, je l'aperçois dans la cour.

— J'étais absente, j'avais attrapé un rhume, s'excuse-t-elle en se mouchant. C'est ma collègue qui s'est occupée de mes élèves. Je suis sûre que tout s'est bien passé.

— J'espère. Mais je ne voulais pas vous voir pour ça.

Je lui explique qu'Iris est difficile depuis quelque temps, et je lui tends un morceau de papier avec mon nom et le numéro de téléphone de Mme Tafa :

— Pourriez-vous m'appeler si vous remarquez quoi que ce soit d'anormal ?

Mme Ndori louche sur le papier. Elle semble un peu embarrassée :

— Oui, bien sûr.

Elle éternue, s'essuie le nez et va pour fourrer son mouchoir dans la poche de sa veste quand un ballon de football la frappe violemment à la nuque.

— Ah, les garçons, ça suffit ! crie-t-elle en fonçant vers un groupe d'enfants qui la montrent du doigt en riant.

Le dimanche, Iris et Soly regardent M. Tafa réparer le toit de chaume d'une de ses dépendances, pendant que je fais la tournée des cimetières avec Mme Tafa. En chemin, elle me raconte ses sempiternelles histoires drôles de l'époque de la mine. Sans maman pour rire avec nous, ce n'est pas la même chose. Je l'écoute en silence, et son monologue ne tarde pas à dériver sur son fils Emmanuel :

— Il était tellement intelligent ! Quand il était petit, il voulait nous apprendre à lire, à Meeshak et à moi, pour qu'on puisse lui raconter des histoires le soir. Mais nous, on n'est pas comme ta maman, on n'a jamais été trop forts pour ça. Oh là, là, ce qu'il était doué, ce garçon ! C'était un vrai cerveau ! Je ne sais pas de qui il le tenait.

Elle se tamponne les yeux avec son mouchoir :

— Qu'est-ce qu'il y a comme poussière, ici !

Elle me conduit sur la tombe des Macholo. Pour la deuxième semaine consécutive, Esther n'est pas au rendez-vous. Je sais que Mme Tafa meurt d'envie de me faire la leçon à son sujet, de me répéter que mon amie a une mauvaise influence sur moi. Pourtant, elle se tait. Pourquoi est-elle si gentille ? C'est louche.

— Ça fait une semaine que maman est partie, dis-je. Elle devrait déjà être revenue.

— Mon enfant, plus tu veux presser la vie, plus elle marche au ralenti, déclare Mme Tafa.

Sur ces mots, elle empoigne son volant et écrase l'accélérateur.

Après le dîner, je m'assieds devant la maison pour écouter la musique qui déferle du ghetto blaster des Lesole, en bas de la rue. M. Lesole est en vacances, et il entend bien en profiter.

Mme Tafa s'approche de la haie. Je m'attends à son commentaire habituel : « Ils nous cassent les pieds, ces Lesole, avec leurs fêtes ! Ils ne pourraient pas la mettre en sourdine, de temps en temps, que les autres aussi puissent écouter de la musique ? »

Non, ce soir, elle me surprend :

— Tu devrais aller t'amuser un peu, ma fille, au lieu de rester là, à traîner comme une charrette sans roues !

Elle me voit hésiter.

— Allez, insiste-t-elle, vas-y, je surveille les petits. Va prendre du bon temps. Tu ne voudrais tout de même pas que les voisins croient qu'il y a un problème ?

Elle a raison : quand les gens flairent un problème, leurs langues se délient. Je me compose un visage le plus souriant possible et je descends chez les Lesole, où je suis accueillie par un brouhaha de rires et de chants.

— Dumêla ! me crie Mme Lesole en venant m'embrasser.

— Dumêla ! me lance son mari. Il paraît que ta maman est dans le Nord.

Je crie par-dessus la musique :

— Oui, elle est partie aider ma grande sœur qui vient d'avoir un bébé.

— C'est bien, ça ! fait Mme Lesole. Les jeunes mamans ont toujours besoin d'être soutenues, ajoute-t-elle en donnant un coup de coude affectueux à son époux.

— Ta mère a de la chance d'aller prendre l'air à la campagne, conclut celui-ci avec entrain.

Un voisin apporte le cerf-volant qu'il vient de fabriquer, orné d'une longue queue brillante découpée dans des canettes de boissons. Je me fraie un chemin pour aller l'admirer, au milieu d'une foule affable. On dirait que l'épisode de l'autre jour, avec Jonah, n'a jamais eu lieu.

Au moment de partir, je croise M. Nylo, le fripier. Il transporte une brouette de chiffons nouvellement récoltés et me fait un joyeux signe de la main :

— J'ai entendu dire que ta maman allait bien. C'est Mme Tafa qui a passé le mot.

— Oui, oui ! Tout va bien !

En rentrant à la maison, encore grisée par la musique, je ne suis pas loin de le croire.

Si seulement elle téléphonait...

Je ne suis pas la seule à espérer un coup de fil de maman. Lundi soir, avant le dîner, Soly est encore assis au bord de la route. Il y va chaque soir depuis le départ de maman, et il l'attend. Je l'observe par la fenêtre.

Il patiente tranquillement. Parfois, il court après un papillon, ou s'accroupit devant une fourmilière, ou fait une galipette. Parfois, il invente une chanson.

C'est à cela qu'il est occupé en ce moment. Je m'approche en catimini pour écouter les paroles. Sa chanson est toute simple : « J'attends, j'attends, j'attends, j'attends, assis ici, j'attends ma maman, assis ici, j'attends ma maman, assis ici, j'attends, j'attends, j'attends et j'attends... »

Sa voix minuscule et chevrotante me submerge d'émotion. Soly s'est aperçu que je l'écoutais. Il arrête de chanter et fixe le sol, comme s'il venait de faire une bêtise.

Je m'assieds près de lui :

— Qu'est-ce que tu as ?

Il reste silencieux, puis me dit calmement :

— Rien, je chantais.

— Je sais. C'était joli.

— Tu trouves ?

Je hoche la tête ; il plisse le front :

— Ce n'est pas vilain de chanter... de jouer... de s'amuser... alors que maman est partie ?

Je le serre contre moi :

— Bien sûr que non. Maman veut qu'on soit heureux.

Un silence.

— Chanda, pourquoi elle ne nous a pas téléphoné ?

— Peut-être qu'elle n'a rien de spécial à dire.

Soly regarde fixement ses orteils :

— Tu crois qu'on lui manque ?

— Bien sûr qu'on lui manque. On lui manque autant qu'elle nous manque.

Je l'embrasse sur le front :

— Ne t'inquiète pas : pas de nouvelles, bonnes nouvelles.

Soly essaie de sourire, mais il n'y arrive pas. Il ne me croit pas. Pourquoi me croirait-il ? Je ne me crois pas moi-même.

29

C'est bizarre d'attendre maman. Parfois, je suis pleine d'espoir. Et parfois, comme ce soir, je me recroqueville dans mon lit, terrifiée.

Soly a raison : maman aurait dû nous rappeler. Que se passe-t-il ? Est-ce que sa maladie s'est aggravée ?

Son sida, j'entends. Pourquoi ai-je du mal à dire la vérité, même maintenant ? Qui voudrais-je tromper ? Dans combien de temps va-t-elle mourir ? Et après ?

Je vois le visage de Jonah et je ressens de la haine. C'est à cause de lui. J'espère qu'il est mort dans un fossé, à l'heure qu'il est. Qu'il pue. Qu'il pourrit.

Non. C'est affreux ! D'ailleurs, pourquoi envisager le pire ? Maman n'a pas fait de test, je n'ai pas de certitude. Peut-être qu'elle n'a pas le sida. Ou peut-être que si.

Je me répète sans fin : « Maman n'a pas le sida. Maman n'a pas le sida »… sauf que je n'y crois pas ! Au contraire, il me vient une pensée encore plus terrible : « Et si maman avait le sida avant de rencontrer Jonah ? Et si c'était elle qui le lui avait donné ? »

« Non ! » Je me frappe le front, mais cette idée s'accroche. Ça devient une obsession. J'essaie de me calmer, de réfléchir avec logique. Si maman n'a pas attrapé le sida avec Jonah, qui a bien pu le lui donner ? Personne !

Puis je pense à M. Dube. Il était veuf depuis longtemps. Avait-il passé toutes ces nuits seul, où était-il allé rôder près des wagons de marchandises ? Ne s'était-il jamais promené au parc des prostituées ?

Non ! M. Dube était quelqu'un de bien.

Et alors ? Personne n'est parfait. Les gens font des erreurs. Ils font des choses qu'ils ne devraient pas, qu'ils ne voudraient pas faire et qu'ils regrettent ensuite.

Je me mets à transpirer abondamment. Si M. Dube a donné le sida à maman... leur bébé ? Soly !

Non ! Si Soly avait le virus, il serait mort avant Sara ! N'est-ce pas ?

Peut-être pas. Lorsque Sara est née, maman l'aurait eu depuis plus longtemps. Sara aurait pu naître plus malade.

Et soudain une nouvelle pensée, encore plus abominable : « Et si maman n'avait attrapé la maladie ni avec Jonah, ni avec M. Dube ? Si c'était avec Isaac Pheto ? »

Alors, et leur bébé ? Et Iris ?

Et moi ?

Mon cœur s'arrête de battre.

Je pense à ce que m'a fait Isaac. À toutes les fois où il me l'a fait. À mon secret, déjà si terrible. Et s'il était plus terrible encore ? Si Isaac m'avait donné le sida ?

ABCD-CD-CD-CDEG-GF-FG... J'en oublie l'alphabet.

Je me lève, je marche, je retourne au lit, je me relève, je marche encore, je me recouche, sans cesser de réciter. Mais, à la place des lettres, ce sont toutes mes grippes, tous mes rhumes qui me reviennent. Ces petites fièvres. Ces migraines. Ces diarrhées. Toutes les nuits où je n'ai pas pu dormir, où je me suis réveillée en sueur avant l'aube. Est-ce que c'était normal ? Est-ce que c'étaient des symptômes ?

« Mon Dieu, s'il te plaît, aide-moi ! Dis-moi que je n'ai rien. Dis-le-moi. »

Dieu ne répond pas et le silence me donne le vertige.

Je continue de me torturer jusqu'à ce que la peur cède la place à l'épuisement. Ma tête tombe sur l'oreiller et je sombre dans d'autres cauchemars.

Je rêve que je suis dans l'entrepôt du ferrailleur. Comment suis-je arrivée là ? Il fait nuit. J'erre, seule, au milieu d'un labyrinthe de pneus et de gamelles rouillées.

— Chanda ? appelle une voix.

C'est celle d'un fantôme ; elle est légère comme l'air.

— Qui êtes-vous ?

La voix ne répond pas. Elle m'appelle encore :

— Chanda ? Chanda ?

Elle me conduit à travers le dédale, jusqu'au puits abandonné :

— Aide-moi, Chanda.

La voix vient du fond du puits :

— Je t'en prie, Chanda, aide-moi !

Je roule sur mon lit, à demi éveillée. La voix du rêve résonne encore dans mes oreilles.

— Chanda ?

On a frappé des coups légers contre le volet. Je m'assieds. Les rêves nous projettent parfois dans le futur, mais celui-ci est au présent. Je chuchote :

— Esther ?

Elle me répond par un gémissement. Je me précipite à la porte, je la déverrouille fébrilement et je l'ouvre en grand. Esther longe la maison, attentive à rester dans l'ombre :

— N'avance pas, me dit-elle. Ne me regarde pas !

— Qu'est-ce qui s'est passé ?

Elle lâche une plainte si horrible que je crains de voir la terre l'engloutir. Je cours vers elle, mais elle lève la main.

— Non ! Ce n'est pas prudent.

Je l'ai vue ! Je recule d'instinct et j'essaie de parler le plus calmement possible :

— Esther. Viens, entre...

— Je ne peux pas. Ta mère...

— Maman n'est pas là. Viens. Il faut que tu entres.

Elle me suit dans la maison. Soly et Iris sont réveillés. Je leur interdis de se lever, je tire le rideau devant leur porte et j'allume une lampe. Esther s'effondre à terre. Elle a le corps meurtri, enflé et à moitié nu. Son dos-nu et sa minijupe sont déchirés, maculés de boue, de sang séché et de pus. Son visage est tailladé et des points de suture courent depuis son front jusqu'à sa gorge, en passant par son nez.

— On va aller à l'hôpital.

— J'en viens. Les médecins sont débordés. C'est une infirmière qui m'a recousue. Elle m'a dit que j'avais de la chance de ne pas avoir perdu un œil. Mais j'aurai des cicatrices.

Elle sanglote.

— Ils auraient dû te donner un lit.

— Ils n'en avaient pas de libre. Et je ne suis qu'une putain...

— Non ! Tu es mon amie. Ma meilleure amie.

Esther cache son visage dans ses mains et se met à pleurer.

J'enfile une paire de gants en caoutchouc que m'a donnés l'infirmière de l'hôpital et j'apporte l'eau que j'avais préparée pour le petit déjeuner. Je récupère aussi la bouteille d'antiseptique sous l'évier. Ensuite, je vais chercher quelques chiffons propres, ma robe de chambre et une couverture. J'aide Esther à quitter ses vêtements déchirés. Elle a le corps couvert de bleus, même derrière les oreilles et dans le dos. Je tamponne avec de l'antiseptique les égratignures et les plaies que l'infirmière a négligées.

— Chanda... Chanda, jamais je n'aurais pensé que ça m'arriverait. Aux autres, peut-être, mais pas à moi. Quelle idiote !

Elle frissonne. Je lui fais enfiler ma robe de chambre.

— Chut ! lui dis-je. Tu n'es pas obligée de m'expliquer.

Esther s'essuie les yeux :

— Si, je le veux. J'en ai besoin. Tu es la seule à qui je peux parler.

À présent, elle tremble. Je l'enveloppe dans la couverture et je la berce. Les mots s'échappent de sa bouche par saccades :

— C'était une soirée plutôt calme. J'ai fait une passe au centre commercial, une dans le parc, et voilà. À dix heures, une limousine s'est arrêtée devant moi, avec les vitres teintées et tout. Le chauffeur m'a dit : « Il y a une fête au Safari Club. Vingt dollars plus les pourboires, ça t'intéresse ? » J'ai répondu : « Bien sûr ! » Quand j'ai ouvert la portière, je me suis aperçue qu'il y avait deux hommes masqués assis à l'intérieur. J'ai voulu m'enfuir, mais le chauffeur était derrière moi. Il m'a attrapée et m'a fait monter de force. Un des hommes m'a prévenue : « Si tu cries, tu es morte ! » L'autre m'a mis une taie d'oreiller sur la tête. On a roulé, longtemps. On s'est arrêtés je ne sais où, dans un garage, peut-être. J'ai entendu d'autres hommes autour de la voiture. Ils ont ouvert la portière et m'ont tirée dehors. Ils m'ont tenue et m'ont tous violée, l'un après l'autre. Ça a duré une éternité. Ils sifflaient et ils riaient. Le dernier m'a dit : « Une pute m'a donné le sida, alors maintenant c'est moi qui te le donne ! » Quand ils ont eu fini, ils m'ont jetée dans le coffre de la voiture. J'étais sûre que j'allais mourir. Lorsque je suis revenue à moi, j'étais dans un fossé. Un homme masqué m'a arraché la taie d'oreiller. Il m'a crié : « Tu te souviendras de moi quand tu te regarderas dans un miroir », puis il m'a tailladé le visage. Ensuite, la voiture a démarré et je suis restée seule.

Esther et moi nous blottissons l'une contre l'autre et nous restons un long moment sans parler.

— Ce sont les flics qui m'ont trouvée, dit-elle enfin. En me conduisant à l'hôpital, ils n'ont pas arrêté de me poser des questions. Je n'avais pas de réponses. Je n'ai vu que le chauffeur, et encore : il faisait nuit, il était dans l'ombre. La limousine était ordinaire. Je ne sais même pas où ils m'ont emmenée.

Elle s'étrangle :

— De toute façon, ce n'est pas ça qui les intéressait. Les flics voulaient savoir pourquoi j'étais dehors si tard. Ils m'ont demandé si j'étais une prostituée. Comme si je l'avais mérité...

— Personne ne mérite une chose pareille. Personne !

— Dis-le à ma tante. Après l'hôpital, les flics m'ont ramenée chez elle. Elle a crié que c'était ma faute, que je n'étais qu'une traînée et que je brûlerais en enfer. Puis elle m'a fichue dehors. Je suis allée prendre mes affaires dans l'appentis, je les ai mises dans un sac et je suis venue ici à vélo. Je ne sais pas comment j'ai fait. Mon sac est derrière la maison.

Esther est à bout. Elle déglutit après chaque respiration :

— Chanda... Chanda, je n'ai nulle part où aller.

Je la serre très fort :

— Mais si. Ici. Tu peux rester ici.

30

J'installe Esther dans la chambre de maman, après avoir échangé son matelas contre le mien. Soly s'est rendormi, mais je surprends Iris en train de me regarder, cachée sous son drap. Qu'a-t-elle entendu ? Qu'a-t-elle compris ?

— Alors, elle reste ? murmure-t-elle.

J'acquiesce. Iris grogne et me tourne le dos.

Je retourne dans la chambre de maman pour border Esther.

— Je ne pourrai plus jamais dormir, gémit-elle.

Elle s'endort tout de même. Sa respiration est lourde et son corps agité de soubresauts. J'espère que ses rêves l'emmèneront dans un endroit plus paisible.

Je n'ai pas cette chance. Quand je replonge enfin dans le sommeil, je rêve que je suis revenue dans l'entrepôt du ferrailleur. Des voix s'élèvent du puits abandonné et m'appellent. Ce sont les voix de maman, de Sara, d'Iris, de Soly et d'Esther. Ils pleurent : « Aide-nous, Chanda, aide-nous. » Je me penche par-dessus la margelle et je me lamente : « Je ne peux pas ! Je ne sais pas comment faire. » Un coup de vent me pousse. Je bascule par-dessus bord. Je tombe. Je tombe pendant un temps infini, jusqu'à ce qu'un gigantesque oiseau blanc — ma cigogne magique — descende vers moi en piqué et me rattrape dans son bec. L'oiseau m'emporte à tire-d'aile. Au loin, j'aperçois des nuages d'orage. Je lui demande : « Où on va ? Qu'est-ce qu'il y a, là-bas ? »

La cigogne ne répond pas et je me retrouve assise dans mon lit, tout à fait réveillée.

Esther dort encore quand Soly et Iris me rejoignent dans la cuisine. Soly s'approche de la table à pas feutrés en se grattant le derrière :

— C'est vrai qu'Esther va habiter avec nous ?

— Oui.

Je jette un coup d'œil à Iris, qui remue son porridge avec un sourire satisfait :

— Les nouvelles vont vite !

— Dis à Soly pourquoi elle reste.

Je mens :

— Esther a eu un accident. Elle a fait une chute de vélo et elle est tombée sur des morceaux de verre. Chez sa tante, elle vit dans une remise. Ici, elle guérira mieux.

— Dis à Soly la vraie raison, insiste Iris.

Je ne me laisse pas démonter :

— C'est la vraie raison.

« Au moins, me dis-je, c'est à moitié vrai. En ce moment, à moitié vrai, ce n'est déjà pas mal. »

Soly se frotte les yeux :

— Combien de temps elle va rester ?

— Aussi longtemps qu'elle voudra.

— Est-ce que maman est au courant ? demande Iris innocemment.

— Je vais la prévenir, mais elle n'y verra pas d'inconvénient. Et, même si c'était le cas, elle ne dirait rien parce qu'elle est polie. Elle aime que les invités se sentent les bienvenus. Pas comme une petite peste que je connais.

Iris m'ignore. Elle regarde son frère avec un sourire angélique :

— Soly, tu veux mon porridge ? Il y a des bêtes dedans.

— Ne l'écoute pas, elle ment !

— Si, c'est vrai !

Soly pose sa cuillère. Après avoir débarrassé la table, je le conduis à la haie, où Mme Tafa l'attend les bras ouverts.

— Devine quoi, Tatie ? fanfaronne Soly tandis que je le soulève au-dessus de la haie. Esther va habiter chez nous !

Mme Tafa manque de le laisser tomber sur les cactus. Il l'aurait bien mérité !

— Esther Macholo ? s'étrangle-t-elle.

Soly acquiesce joyeusement :

— Oui ! Elle est tombée de son vélo, et maintenant elle dort dans la chambre de maman.

Mme Tafa arque un sourcil :

— C'est une plaisanterie ?

— Non. Esther a de gros problèmes. Si ça ne vous dérange pas, en revenant du lycée, j'aimerais utiliser votre téléphone pour laisser un message à l'épicerie de Tiro. Je voudrais prévenir maman.

— Tu ne vas pas contrarier ta maman avec ces histoires !

— Ça ne va pas la contrarier.

Mme Tafa secoue la tête, excédée.

— Bon, je file ! dis-je nerveusement. J'ai promis à mes professeurs d'arriver de bonne heure. J'ai un contrôle de physique et un devoir d'anglais à rendre, et... euh... Au revoir.

Mme Tafa tend le bras pour m'arrêter, mais Soly tire sur sa robe :

— Tatie, je peux avoir de la citronnade ? Il y avait des bêtes dans mon porridge.

Je dépose Iris à l'école maternelle. Depuis ce matin, je n'ai pas eu le temps de réfléchir. À présent que je suis seule, je peux me replonger dans mes cauchemars. Les vrais.

Qu'est-ce que je vais faire si Esther tombe malade ? Si Iris fugue ? Ou si maman meurt ? Et si Tante Lizbet débarque ? Et si j'ai le sida ? QU'EST-CE QUE JE VAIS FAIRE SI J'AI LE SIDA ?

Il faut que j'en parle à quelqu'un, mais à qui ? À M. Selamame ! Oui, en arrivant au lycée, j'irai trouver M. Selamame... Je suis sûre qu'il sera de bon conseil.

« M. Selamame ! Oui ! » Je pédale à toute vitesse.

« M. Selamame ! Non ! » C'est un professeur. Il devra faire un rapport écrit. Et s'il y a des fuites ? Tout le monde saura que le sida a frappé ma famille. On me montrera du doigt. Et si les services sociaux sont mis au courant ? S'ils me prennent Iris et Soly ? Est-ce qu'ils le feraient ? En auraient-ils le droit ? Je n'en sais rien.

Tant pis pour le lycée : je décide d'aller à l'hôpital. Je donne mon nom à la réception en demandant à voir Mme Wiser, l'infirmière.

Un instant plus tard, elle passe la tête dans l'embrasure de la porte et me fait signe d'entrer.

— On a envoyé une assistante sociale chez toi, m'annonce-t-elle en s'asseyant sur le coin de son bureau. Elle nous a dit que votre ami avait disparu.

— Ah, Jonah... Oui, il est parti. Je suis désolée de ne pas vous avoir prévenue. Désolée de vous avoir fait perdre votre temps. Désolée pour tout. Pardon, pardon, pardon...

— Oh là, là ! Ma fille\

L'infirmière éclate d'un gros rire de maman et pose ses mains sur mes épaules :

— Arrête de t'excuser. Tu n'es pas venue pour ça. En quoi je peux t'aider ?

Je débite mon histoire d'une seule traite :

— J'ai une amie qui a une amie qui a peut-être le sida...

Puis je lui raconte ce qui est arrivé à Esther, sans jamais prononcer son nom.

— Si l'amie de mon amie a le virus, est-ce que mon amie, son frère et sa sœur doivent porter des gants en caoutchouc quand ils sont près d'elle ?

— Pas si ses blessures sont complètement cicatrisées.

— Bon. Mon amie voulait être certaine que ses frère et sœur ne craignaient rien.

— Ils ne craignent rien, me confirme Mme Wiser. Le virus VIH ne se transmet que par le sang, le sperme et les matières fécales. Mais tu le sais déjà, n'est-ce pas ?

Elle me regarde avec insistance :

— Quelle est la vraie raison qui t'amène ?

Je fixe le sol en pensant à Isaac Pheto. L'infirmière me dévisage pendant un temps qui me paraît infini. Finalement, je prends une grande inspiration et je me lance :

— J'ai une autre amie. Elle a été violée quand elle était petite, mais elle est toujours en bonne santé. L'homme qui l'a violée est en bonne santé aussi. Ça veut dire qu'elle n'a rien, pas vrai ? Elle n'a pas le sida ?

L'infirmière pose son bloc-notes :

— Je ne sais pas. Le virus peut rester caché dans le corps pendant des années.

J'étouffe un sanglot. L'infirmière me prend la main et l'alphabet se met à défiler dans ma tête.

— Est-ce que ton amie aimerait faire un test ? me demande-t-elle.

— Non, dis-je dans un filet de voix. Elle a trop peur.

— Je comprends, chuchote-t-elle à son tour. C'est effrayant de faire le test, mais c'est encore pire de vivre avec la peur. Si ton amie fait le test, au moins, elle saura.

— C'est le problème. Si le test est positif, elle saura qu'elle va mourir.

— Peut-être pas. Chaque année, on découvre de nouveaux médicaments. Les malades vivent de plus en plus longtemps.

— Oui, en Occident !

Je me mords la lèvre :

— Mon amie n'a pas les moyens de se payer ces médicaments. Personne ici n'en a les moyens.

— Le Botswana a mis en place un programme national d'accès aux thérapies. Nous en aurons un, un jour.

— Qu'est-ce que vous en savez ?

— Tu as raison, admet-elle, je n'en suis pas sûre. Pourtant, j'y crois. Il y a certaines choses auxquelles tu dois croire, Chanda. C'est la seule façon de garder espoir.

Elle prend ma tête entre ses mains, comme le fait maman :

— En attendant, si le test de ton amie est positif, elle pourra s'inscrire à un tirage au sort pour participer à des protocoles thérapeutiques expérimentaux. Ou mettre son nom sur la liste d'attente d'une organisation humanitaire, afin de bénéficier d'un traitement.

— Un tirage au sort ? Une liste d'attente ? Ce n'est pas suffisant.

— C'est mieux que rien.

— Mais mon amie... Mon amie...

Ma voix s'étrangle :

— Vous savez que je ne parle pas d'une amie, n'est-ce pas ? Vous avez compris que je parlais de moi ?

L'infirmière hoche la tête, et je m'aperçois que mes joues ruissellent de larmes. Je pleure. Je pleure en public ! Je trahis la promesse que j'ai faite à maman, et je suis incapable de m'arrêter. Elle me tend un mouchoir ; je m'essuie les yeux :

— Je vous en prie, n'en parlez à personne.

— Tu es ma patiente, me rassure-t-elle. Tout cela est entre nous.

Puis elle se tait un instant, penche la tête et choisit soigneusement ses mots :

— Est-ce que tu as entendu parler du centre d'accueil Thelabo ?

– Non.

Je secoue énergiquement la tête avant de répéter :

– Non, non, je n'en ai pas entendu parler.

C'est faux, bien sûr. Qui ne connaît pas le centre Thelabo ? Il est dans la petite rue qui mène au dispensaire médical de la section dix. Il est dirigé par Banyana Kaone, une vieille femme bizarre que tout le monde appelle la « Dame sida ». On la voit souvent en photo dans les journaux, qui distribue des préservatifs devant les super-marchés, ou à l'entrée des parcs.

« La vie que vous sauvez peut être la vôtre ! scande-t-elle. Si vous ne vous protégez pas pour vous, faites-le pour votre partenaire. »

Elle a raison. J'ai beau en être convaincue, je ne m'approche jamais du centre d'accueil. Si les gens vous voient y entrer, ils en déduisent que vous avez la maladie.

L'infirmière hausse un sourcil.

– Si tu fais le test VIH, espérons qu'il sera négatif, dit-elle. Dans le cas contraire, le centre d'accueil est un lieu formidable.

Je me couvre les oreilles :

– Je ne veux pas entendre ça.

– Chanda, si ton test s'avère positif, tu auras besoin de soutien. Il y a un psychologue au centre...

– Ça m'est égal. Si j'ai le virus du sida, je veux que personne ne le sache. En plus, je ne peux pas me permettre de l'avoir. Trop de gens ont besoin de moi.

— Soit tu l'as, soit tu ne l'as pas, déclare l'infirmière d'un ton catégorique. La peur ne change rien à la vérité.

— Arrêtez ! Arrêtez !

Je chiffonne le mouchoir en boule ; je me lève d'un bond en renversant ma chaise :

— Je sais que je devrais faire le test, mais je ne le ferai pas ! Je ne peux pas ! Je ne peux pas, c'est tout !

Je tourne sur mes talons et je passe la porte en courant.

31

Je rentre à la maison, l'intestin noué. Tout en pédalant, je me défends de penser au sida ou au test. Je dois me concentrer sur Mme Tafa : je vais devoir me battre pour téléphoner. Me battre pour Esther. Il faut à tout prix que je reste calme.

Ma bicyclette à la main, j'entre dans le jardin de Mme Tafa. J'aperçois Soly, occupé à faire un cercle de galets autour de sa chaise longue. Il se lève d'un bond quand je passe le portillon :

— Chanda ! Viens voir mon cercle magique ! Je l'ai fabriqué exactement comme M. Tafa m'a montré. Tous ceux qui s'assoient dedans ont le droit de faire un vœu.

— Et ça marche ! clame la voisine. Je souhaitais voir revenir Chanda pour qu'on ait une petite discussion, et la voilà.

— Youpi ! s'écrie Soly. M. Tafa dit que mon cercle magique protège aussi contre les mauvais esprits !

— Tu devrais peut-être en faire un pour Chanda, lui suggère Mme Tafa en me jetant un regard entendu.

— D'accord ! Mais je finis d'abord celui-là.

— Vas-y.

Soly sourit fièrement et retourne à ses cailloux. Mme Tafa s'extirpe de sa chaise et me fait signe de la suivre dans la maison. Elle ferme la porte derrière nous, et ce que j'attendais arrive.

— Tu devrais avoir honte de toi ! rugit-elle. Accueillir cette Esther Macholo. Si tu t'imagines que je ne sais pas ce qu'elle trafique, cette traînée.

— Ce que vous savez m'est égal. Esther a des ennuis et c'est mon amie.

— Tu crois que ta maman serait contente de savoir que ses bébés habitent avec une prostituée ?

— Ce qu'Esther a fait, elle l'a fait pour ses frères et sœur. Pour réunir sa famille... C'est une chose que maman comprendra.

— Je t'interdis de mêler ta mère aux histoires de cette petite putain ! tonne Mme Tafa. Esther Macholo peut dormir avec les cochons si ça lui chante, mais elle ne dormira pas à côté de chez moi. Soit tu la fiches dehors, soit c'est moi qui m'en charge !

Je serre la mâchoire :

— Je suis désolée, madame Tafa, mais je ne la mettrai pas dehors. Elle restera où elle est, que ça vous plaise ou non. Maintenant, si ça ne vous dérange pas, j'aimerais utiliser votre téléphone pour prévenir maman.

Mme Tafa mugit :

— « Que ça me plaise ou non », tu dis ? Eh bien, aussi longtemps qu'elle sera sous ton toit, tu n'utiliseras pas mon téléphone. Tu ne reparleras plus jamais à ta mère !

— Oh si, je lui parlerai ! Je trouverai un moyen, et je lui dirai que vous m'avez obligée à me prostituer pour gagner de quoi lui téléphoner d'une cabine publique !

Mme Tafa recule d'un pas mal assuré :

— Quoi ?

— Vous m'avez parfaitement entendue. Et je le dirai à tout le quartier !

Elle se frappe la poitrine :

— Écoute-toi ! Cette saleté passe une seule nuit sous ton toit, et tu te conduis déjà comme elle ! C'est le démon qui parle !

Elle montre son téléphone :

— Vas-y, traîtresse ! Utilise-le, si ça te fait plaisir. Utilise-le et va au diable !

Elle se précipite dehors.

J'ai un instant de panique : « Mon Dieu ! Qu'est-ce que j'ai dit ? Bah, tant pis ! Ça en valait la peine, rien que pour lui clouer le bec, à cette vieille bique. »

Je patiente en tremblant tandis que l'opérateur établit la connexion avec Tiro. L'épicier répond à la quatrième sonnerie. J'entends des rires dans le fond, et je m'imagine un groupe d'hommes assis près d'un vieux réfrigérateur Coca-Cola, qui jouent aux cartes en fumant.

— Ouais, fait l'épicier d'une voix chaleureuse.

— Monsieur Kamwendo ?

— C'est moi.

— Ici Chanda Kabelo. Vous vous souvenez de moi ?

— Ouais. Tu es la petite-fille des Thela. Tu as appelé il y a quelques mois, quand ta sœur est décédée.

— Oui, et, euh... vous savez peut-être que ma maman est chez eux... Est-ce que vous pourriez lui passer un message ?

— Ouais, bien sûr.

— Dites-lui que tout va bien et qu'elle nous manque. Et dites-lui de nous téléphoner, parce que j'ai besoin de lui parler.

Je perçois un bruit sourd, comme s'il venait de poser le combiné sur le comptoir. Il parle à un client ; j'entends une caisse enregistreuse qui s'ouvre et des clochettes qui tintent ; une porte s'ouvre et se referme en claquant.

— Allô ? dis-je.

Le combiné rebondit sur le sol ; des jurons s'élèvent.

— Allô, vous êtes encore là ?

— Ouais, ouais.

— Vous avez noté mon message ?

— Ouais.

— Dites à maman qu'il faut absolument qu'elle me parle à moi. Pas à la voisine.

— Entendu.

Je brûle de lui demander s'il l'a vue, si elle est en forme, si tout est normal. J'aurais tant de questions à lui poser, mais il risque de trouver ça bizarre et de soupçonner quelque chose. Alors, je me tais. Je me contente de le remercier.

Quand je raccroche, je suis prise d'un vertige. Une seconde plus tôt, je parlais à quelqu'un qui n'était qu'à cinq minutes à pied de maman. J'étais tout près d'elle. Et voilà qu'elle est de nouveau à des centaines de kilomètres.

Et je ne sais pas comment elle va.

Et je ne comprends pas pourquoi elle ne nous a pas téléphoné.

Et j'ai peur de le découvrir.

32

Dans l'après-midi, le visage d'Esther a encore enflé. Au crépuscule, elle est méconnaissable. Iris et Soly lui disent bonjour à travers le rideau, car elle ne veut pas que d'autres que moi la voient.

Elle reste cachée jusqu'au milieu de la semaine. Je lui apporte à manger, mais elle n'avale presque rien, même quand je la nourris à la cuiller. Je lui laisse un pot de chambre, que je vide dans les cabinets deux fois par jour.

Le jeudi, elle fait ses premiers pas dans le séjour. Des pas minuscules, comme une vieille dame. Je la tiens par le coude, au cas où. J'ai retiré le miroir accroché près de la porte d'entrée pour lui éviter d'y croiser son reflet. Toutefois, les regards effarés que lui lancent Iris et Soly ne la trompent pas.

De retour dans la chambre, elle se tâte les tempes. Lever les bras lui fait mal ; toutefois, ce n'est rien comparé à sa souffrance lorsqu'elle imagine son visage.

— Je suis défigurée ! se lamente-t-elle. J'aurais préféré qu'ils me tuent !

Je choisis d'ignorer la seconde partie de sa phrase.

— Ce ne sont que de petites enflures, dis-je. Ça va dégonfler.

Je l'espère. Sa tête est cabossée comme un sac plein de baies de marula[1]. Sa peau fronce autour des innombrables points de suture. Je nettoie ses plaies en les tapotant avec une serviette trempée dans de l'eau bouillie. Hélas, ça ne change pas grand-chose.

Avec Mme Tafa, la situation est vraiment tendue. Elle continue de garder Soly pendant la journée et elle m'ignore. Le lendemain de notre dispute, elle ne s'est pas montrée quand je l'ai déposé de l'autre côté de la haie. Lorsque je suis rentrée pour le déjeuner, elle était dans sa chaise longue. J'ai lancé un « bonjour » tonitruant, mais elle a fait semblant de dormir et m'a tourné le dos.

— Madame Tafa, merci de m'avoir laissé utiliser votre téléphone hier ! ai-je insisté. Et pardon d'avoir été grossière.

Elle s'est levée sans répondre et est rentrée dans sa maison. Depuis, nous n'avons pas échangé un seul mot.

---

1. Le marula est un arbre dont les fruits jaunes à noyau, comestibles, ont un peu l'aspect des prunes.

C'est devenu tellement gênant que je fais mon possible pour ne pas me trouver dehors en même temps qu'elle. Elle ne me pardonnera jamais. Pas tant que je ne chasserai pas Esther, et je ne le ferai jamais.

Le pire, c'est les repas. Mme Tafa s'arrange pour attirer Iris et Soly chez elle juste avant de manger et elle les gave de bonbons. Au début, ils ont prétendu qu'ils ne m'avaient pas entendue, alors maintenant je les appelle avec une grosse cloche, comme celles qu'on accroche au cou des vaches. Ça fonctionne avec Soly, mais pas avec Iris.

La première fois qu'il est revenu seul, j'ai demandé à Soly : « Est-ce que Mme Tafa fait exprès de retenir Iris chez elle ? »

Mon petit frère a ouvert des yeux ronds :

« Si je rapporte, elle va se fâcher contre moi.

— Et, si tu ne rapportes pas, c'est moi qui vais me fâcher !

— Oui. Je ne sais pas quoi faire. »

Faute de trouver une réponse, je l'ai envoyé se laver les mains avant de passer à table. Au moment de débarrasser, Iris est arrivée la bouche en cœur et s'est empressée de faire bisquer Soly en énumérant toutes les friandises qu'il avait manquées.

« Iris, ai-je dit, je te rappelle que c'est moi qui commande quand maman n'est pas là. À partir de maintenant, tu viens quand je t'appelle.

— Je viens quand je veux ! Et, si je n'en ai pas envie, je ne viens pas.

— Iris... »

Elle m'a tiré la langue, s'est bouché les oreilles et s'est mise à courir autour de la table en hurlant. Je l'ai plaquée au sol, et je me suis assise sur elle :

« Iris, tu vas m'écouter !

— Fiche-moi la paix ! Ce n'est pas ma vraie maison. Tu n'es pas ma vraie sœur. Je te déteste ! »

« Je te déteste » ?

J'ai failli m'évanouir. Je suis devenue toute molle, et Iris en a profité pour se dégager et filer dehors.

« Tu devrais l'enfermer dans sa chambre, m'a conseillé Esther.

— Elle s'échapperait. Elle irait se réfugier chez Mme Tafa et après, en un rien de temps, elle habiterait chez elle... »

Je me suis caché le visage entre les mains :

« Pourquoi me déteste-t-elle ?

— Elle ne te déteste pas. »

Je voudrais demander à Mme Tafa de me soutenir, mais ce serait peine perdue. Elle a trop envie de tout diriger, et elle a des cadeaux à distribuer. Je ne fais pas le poids. Je le fais d'autant moins que j'ai perdu l'appétit et que je dors mal. L'inquiétude me ronge : « Et si maman ne revenait jamais ? Et s'il lui arrivait quelque chose sur le chemin du retour ? Est-ce que Mme Tafa prendrait les choses en main ? Est-ce qu'elle me volerait ma famille ? Comment pourrais-je l'en empêcher ? »

J'erre dans la cour, en pleine nuit ; je m'assieds contre la maison et je supplie ma cigogne magique de revenir : « S'il te plaît, mma moleane, rends-moi de nouveau visite. Aide-moi à rêver de nouveau de maman. »

Bien entendu, elle ne vient pas. Je le savais : la magie n'existe pas. La cigogne que j'ai vue n'était qu'une cigogne ordinaire, comme celles qui vivent près du barrage de Kawkee. Elle avait atterri ici par hasard ; elle ne reviendra jamais.

Le week-end s'écoule. Mme Tafa fait le tour des cimetières sans moi. Maman ne s'est toujours pas manifestée. Voilà deux semaines qu'elle est partie. Une semaine que j'ai téléphoné à Tiro. Pourquoi n'a-t-elle pas rappelé ?

J'ai envie de tambouriner contre la porte de Mme Tafa et de hurler : « Pourquoi ne me dites-vous pas que maman a téléphoné ? Elle ne nous laisserait jamais comme ça, seuls, sans nouvelles ! »

Mais quelle différence cela ferait-il ? Mme Tafa ne me dirait rien. Et, même si elle me disait quelque chose, je ne la croirais pas.

Je rumine mes angoisses jusqu'au milieu de la semaine. Jusqu'au jeudi après-midi, en fait. Car, le jeudi après-midi, il se passe une chose horrible. Tellement horrible que maman sera forcée de rentrer lorsqu'elle l'apprendra.

33

Le jeudi matin, je préviens Iris et Soly que je serai en retard pour le déjeuner :

— Je dois rattraper un contrôle d'anglais après les cours, mais ne vous inquiétez pas : Esther sera là. Il reste de la soupe d'hier soir, elle vous en donnera un bol.

— On s'en fiche, de ta soupe ! chantonne Iris. On ira chez Mme Tafa. Mme Tafa a des figues. Mme Tafa a des gâteaux. Mme Tafa a de tout.

— Iris, je n'ai pas le temps de discuter.

— Tant mieux ! Parce que, moi, je n'ai pas le temps de t'écouter.

Et elle prend le chemin de l'école.

Je passe Soly à Mme Tafa par-dessus la haie et je rattrape Iris à bicyclette. Plus exactement, je la suis de loin, puisque, depuis la semaine dernière, elle ne veut plus marcher à côté de moi. Si je ne reste pas en retrait, elle s'assied par terre et refuse de bouger.

Qu'est devenue ma petite sœur qui m'aimait ? Elle a changé. J'ai échoué.

Une cinquantaine de mètres avant l'école maternelle, Iris se met à courir pour rejoindre un des enfants Sibanda et la petite Léna Gambe. Je la laisse terminer le trajet en leur compagnie. J'ai tant de choses à faire avant les cours : j'ai un devoir d'anglais tout à l'heure, et je n'ai rien lu depuis des siècles. Je suis sûre que M. Selamame m'accorderait un nouveau délai, mais j'ai honte de le lui demander. Il a été trop bon avec moi.

J'arrive à la bibliothèque avant la sonnerie et j'essaie de me concentrer. En vain. De nouvelles pensées m'assaillent : « Pourquoi dois-je me bagarrer pour tout ? Pourquoi est-ce que je me dispute avec Mme Tafa ? Finalement, c'est peut-être une bonne chose qu'elle offre à Iris et Soly des friandises que je n'ai pas les moyens de leur acheter. Et c'est bien aussi qu'ils passent du temps avec M. Tafa. Peut-être que je suis simplement jalouse. Ou égoïste. Peut-être que le problème vient de moi... »

Toute la matinée s'écoule ainsi : mon corps est au lycée, mais mon esprit vagabonde. À l'heure du déjeuner, M. Selamame s'installe derrière son bureau pour corriger des copies pendant que je planche sur mon contrôle. C'est une catastrophe. Je fixe les questions comme une idiote. J'ai l'impression que mon cerveau est vide. J'écris quelques mots, je les griffonne, je colorie les trous des a, des o, des d et des p...

À quoi bon ? Mes yeux se remplissent de larmes. Je quitte mon siège.

M. Selamame lève les yeux de son travail :

— Qu'est-ce qui ne va pas, Chanda ?

— Tout !

Je fonce vers la porte en me cognant dans les tables.

— Chanda ! Attends ! Parle-moi.

J'en meurs d'envie. Je voudrais lui parler de maman, d'Esther, de Mme Tafa, d'Iris… lui dire que la peur m'empêche de respirer, et que je ne sais plus quoi faire. Pourtant, je me borne à crier :

— J'ai manqué à ma parole ! Je vous avais promis que je ferais mon travail, et j'en suis incapable. Je n'arrive à rien.

Je franchis la porte sans lui laisser le temps de m'intercepter et je me sauve dans le couloir.

En arrivant chez nous, je trouve Soly dans la cour. Il souffle sur du duvet de poule et regarde les plumes s'envoler, puis flotter en l'air.

— Tu as mangé ta soupe ?

Il hoche la tête.

— Et Iris ?

Il secoue la tête.

J'entre dans la maison. Esther est à la table.

— Tu as vu Iris ?

— Non. Je crois qu'elle est chez Mme Tafa.

Je sais que je devrais m'en assurer, mais je ne me sens pas le courage d'affronter Mme Tafa... et encore moins Iris, qui aura la bouche pleine de figues. Je me laisse tomber sur mon matelas et je me mets un oreiller sur la tête.

Ce sont des cris et des pleurs qui me sortent de ma prostration. On frappe des coups violents contre la porte. Je saute sur mes pieds au moment où Mme Tafa entre dans la maison en trombe. Elle est au bord de la crise de nerfs.

— Chanda, viens vite ! sanglote-t-elle. Il y a eu un accident à l'entrepôt du ferrailleur !

Lorsque j'arrive sur les lieux, la foule est déjà compacte. Des voisins et des inconnus sont massés au bord de la route, entre une ambulance et des voitures de police. Certains tendent le cou pour voir ce qui se passe dans le fond. D'autres restent blottis, sans bouger. J'entends des bribes de conversation : « Ça n'aurait jamais dû arriver ! » ; « Quel malheur ! » ; ou, « Si jeune, si jeune ! »

J'emboîte le pas à Mme Tafa, qui se fraie un chemin entre les vieux pneus, les pots de peinture et les rouleaux de fil de fer barbelé. La foule se resserre au fur et à mesure que nous approchons du puits abandonné.

— Écartez-vous ! hurle Mme Tafa. Voilà la famille !

Elle joue des coudes et m'entraîne derrière elle.

La police a délimité une zone autour du puits avec une corde, tendue entre des wagons renversés et une carcasse de voiture rouillée. Ils empêchent les badauds de s'approcher davantage.

— Voilà Chanda Kabelo, c'est la sœur de la petite fille, leur dit Mme Tafa.

Un policier nous fait signe de passer de l'autre côté de la corde et nous prend à part :

— Tout ce qu'on sait, c'est ce qu'on a pu tirer d'Ezekiel Sibanda et de Léna Gambe. Vous les connaissez ?

J'opine. Ils sont tous les deux dans la classe d'Iris. Je remarque Ezekiel dans les bras de son père. Agenouillée près d'eux, Mme Sibanda gémit et se tord les poignets.

— Ils sont vraiment secoués, continue le policier. Chaque fois qu'ils nous racontent leur histoire, on a droit à une version différente, mais on a réussi à reconstituer à peu près ce qui s'est passé.

Il s'éclaircit la gorge. Je rassemble mes forces et je l'écoute.

Il semble qu'Ezekiel, Léna et Iris ne soient pas restés à l'école ce matin. Mme Ndori était malade, une fois de plus. À peine arrivée à l'école, elle est partie s'allonger dans un coin. Les trois enfants en ont profité pour se sauver. Apparemment, ils avaient pris l'habitude de faire l'école buissonnière, depuis quelque temps.

Ils sont allés dans l'entrepôt du ferrailleur, où ils ont rencontré Paulo, le petit frère d'Ezekiel – celui qui porte des packs de jus de fruits en guise de chaussures. Ezekiel avait piqué des cartons de shake-shake au shebeen de ses parents, et il en a fait profiter ses complices, qui n'ont pas tardé à être saouls.

Iris s'est approchée du puits en titubant et s'est penchée par-dessus la margelle en appelant : « Hé, ho, en bas ! » Puis elle a confié à ses camarades que sa petite sœur Sara vivait au fond du puits. Ezekiel et Léna ne l'ont pas crue, mais le petit Paulo, si. Il a insisté pour la voir.

Ezekiel a trouvé un vieux seau accroché à une chaîne. Paulo s'est installé dedans, et les trois autres ont commencé à le descendre dans le puits. Manque de chance, la chaîne n'était pas assez longue pour atteindre le fond. Quand ils ont voulu le remonter, ils se sont aperçus qu'ils n'en avaient pas la force. Ils ont appelé au secours, mais personne ne les a entendus.

Au bout d'un moment, Léna a paniqué et lâché prise. Iris et Ezekiel n'étaient pas assez costauds pour supporter le poids tout seuls, et la chaîne leur a échappé des mains. Le seau a été cogner contre la paroi du puits, et Paulo est tombé. Il a hurlé, jusqu'à ce qu'il touche le fond. Les enfants l'ont appelé ; il n'a pas répondu.

Iris a dit que c'était sa faute, et qu'elle allait descendre dans le puits pour le secourir. Ezekiel s'est moqué d'elle, il l'a traitée d'idiote, et elle s'est vexée. Léna et lui sont partis chercher un adulte, mais, quand ils sont revenus avec des voisins, Iris avait disparu.

J'aperçois les cartons vides de shake-shake par terre. Je cours jusqu'au puits. Je sais parfaitement que personne ne peut survivre à une telle chute, mais qu'importe, j'appelle :

— Iris ? Iris ?

Je sanglote. Mme Tafa m'attire à l'écart. Et soudain j'entends un bruit. Un gémissement, comme dans mon rêve. « Chanda ?... Chanda ? » Mais la voix ne vient pas du fond du puits. Elle sort d'un vieux baril, à un jet de pierre de là. Le baril est renversé et des sacs poubelles s'en échappent. Je vois les sacs bouger ; un petit corps rampe hors de sa cachette.

— Iris !

Mme Tafa s'agenouille ; Iris la contourne et se précipite dans mes bras :

— Chanda, Chanda ! Je suis désolée. Je ne serai plus jamais méchante. S'il te plaît, ne me déteste pas. J'ai tellement peur.

Je la serre de toutes mes forces :

— Ça va aller, lui dis-je. Je t'aime. Ça va aller.

Un camion de pompiers grimpe en ronflant jusqu'à l'entrepôt. Trois pompiers fendent la foule des badauds. Le capitaine descend en rappel dans le puits, tandis que les deux autres braquent des projecteurs vers le bas, pour éclairer la scène.

Un long moment s'écoule. Puis le pompier crie :

— Je l'ai ! C'est un miracle ! Il est évanoui, mais il est vivant !

La foule applaudit tandis qu'on hisse Paulo à la surface. Hélas, les miracles, ça n'existe pas. Ce n'est pas par hasard que Paulo n'est pas mort. Quelque chose a amorti sa chute. Quelque chose qui a fait vomir le pompier, après être remonté, et c'est pourquoi la police a ordonné à tout le monde de s'écarter. Les pompiers sont redescendus dans le puits pour aller la chercher. Tous les trois, cette fois.

Ce qu'ils rapportent à la lumière est une créature de cauchemar. Une chose pliée et tordue, desséchée et informe, enveloppée dans un tissu pourri. Au début, les gens ne l'identifient pas. Moi, oui.

Je reconnaîtrais entre mille le bandana rayé de Jonah.

34

Le corps de Jonah est transporté à la morgue municipale.

Iris va bien ; elle a quelques écorchures aux mains, qu'elle s'est faites en voulant retenir la chaîne. Dès qu'elle a été examinée, Mme Tafa et moi la ramenons à la maison. Sur le chemin du retour, Mme Tafa chante des cantiques, parle de miracle et répète que la municipalité de Bonang devrait obliger les ferrailleurs à clôturer leurs entrepôts. Elle semble avoir oublié qu'elle ne m'adressait plus la parole. Tant mieux.

Je couche Iris afin qu'elle cuve son shake-shake, puis je la laisse avec Soly sous la garde d'Esther pendant que je vais voir Mme Tafa. Elle est déjà dans sa chaise longue, où elle tente de se remettre de ses émotions en buvant une citronnade.

— Il faut que je téléphone à maman, lui dis-je.

— Pourquoi ?

— Je veux la prévenir pour Jonah. Elle voudra faire le nécessaire.

Mme Tafa prend le temps d'aspirer le fond de son verre à la paille avant de répondre :

— Tu parles si elle s'en fiche ! Ce vaurien l'a quittée, au cas où tu l'aurais oublié. Bon débarras, qu'il repose en paix. Pas question que tu t'endettes jusqu'au cou pour lui.

Je veux protester, mais Mme Tafa n'est pas d'humeur combative. Elle me montre la maison :

— Tu sais où c'est.

Je la remercie et je vais téléphoner. J'explique à l'épicier de Tiro que mon beau-père est mort :

— Est-ce que vous pourriez prévenir maman et lui dire de nous rappeler d'urgence ?

— Ouais.

Avant de m'en aller, je demande à Mme Tafa de crier pour me prévenir si le téléphone sonne :

— Je serai en train de travailler au jardin.

Je bêche la terre, je creuse des sillons, je sème et j'arrose. L'heure du dîner arrive à toute vitesse et maman n'a pas appelé. C'est incompréhensible. Jonah est mort. Je suis certaine qu'elle aurait téléphoné si elle avait pu le faire. Que se passe-t-il ? Je n'ai toujours pas trouvé d'explication quand Tante Ruth arrive en voiture avec son petit ami. Il reste écouter la radio dans sa Corvette pendant qu'elle vient me saluer, à l'extrémité de ma rangée de haricots.

— Désolée pour ton frère, lui dis-je.

— Jonah. Oui. Merci. C'est pour ça que je suis venue. Ta mère est là ?

— Elle est dans sa famille, à Tiro.

— Ah.

Elle cherche mon regard :

— Elle va bien, j'espère !

— Très bien, merci.

— Bon.

Une pause.

— Dis-lui que j'ai réclamé le corps.

Mon cœur est soulagé d'un poids :

— Merci.

Les yeux de Tante Ruth s'embuent :

— Jonah a fait des choses terribles à la fin, pourtant ce n'était pas un mauvais homme. Il a juste commis des erreurs. Il ne voulait faire de mal à personne ; il aimait ta maman.

— Oui, j'imagine.

Le moment est mal choisi pour la contredire.

— Pardon pour l'histoire de la remorque. Pardon de l'avoir laissé tomber. Pardon pour tout !

Son petit ami klaxonne.

— Je dois y aller. On récupère le corps demain pour la veillée, et l'enterrement aura lieu après-demain matin, à sept heures, au nouveau cimetière, allée 6. Je ne voulais pas précipiter les choses, mais M. Bateman nous a fait une remise.

— C'est bien, je vais prévenir maman tout de suite.

— Non, ce n'est pas bien ! J'ai tellement honte ! On s'est contentés de louer un cercueil pour la cérémonie. Jonah sera enterré dans un sac...

Nouveaux coups de klaxon.

— Je t'ai entendu ! hurle Tante Ruth à son petit ami.

Elle se retourne :

— Après ce qu'il a fait chez nous, les autres étaient d'avis de le laisser à la morgue. J'ai refusé. Je ne voulais pas qu'on jette mon petit frère dans la fosse commune. Mais, là, c'est à peine mieux.

Ses genoux flanchent. Je la soutiens :

— Tante Ruth, je vais essayer de trouver de l'argent pour qu'il ait un cercueil. Je trouverai un moyen. Ne t'en fais pas.

— Dieu te bénisse. Dieu te bénisse.

Son petit ami pose le bras sur le klaxon.

— Mes amitiés à ta maman ! me lance-t-elle en titubant jusqu'à la Corvette. J'espère qu'elle pourra venir. Il y a eu de bons moments. J'espère que les gens se souviennent des bons moments.

Elle monte dans la voiture, et, sans lui laisser le temps de fermer la portière, son copain démarre en trombe en soulevant un nuage de poussière.

Mme Tafa me laisse téléphoner à Tiro une fois de plus.

— C'est encore moi, dis-je à l'épicier. Chanda Kabelo...

— Ouais ?

— Vous avez pu transmettre mon dernier message à maman ?

— Ouais.

— Qu'est-ce qu'elle a dit ?

— J'en sais rien. Je l'ai passé à votre tante.

Mon cœur se serre :

— À Tante Lizbet ?

— Ouais.

— Bon... J'ai un nouveau message. Cette fois, s'il vous plaît, donnez-le à maman en personne. Dites-lui que Tante Ruth s'est occupée de tout. Jonah sera enterré après-demain. Il faut qu'elle prenne le bus demain sans faute pour rentrer, sinon elle manquera la cérémonie. Vous avez tout noté ?

— Ouais.

— S'il vous plaît, dites-le-lui tout de suite.

— Ouais, ouais.

— C'est promis ?

— Ouais, ouais.

Je raccroche. Mme Tafa fait mine d'épousseter l'autel d'Emmanuel, posé sur la table voisine.

— N'y compte pas trop quand même, murmure-t-elle.

— Qu'est-ce que vous voulez dire ?

— Ta maman ne viendra pas.

— Comment le savez-vous ?

— Je le sais, c'est tout.

— Eh bien, vous vous trompez. Maman sera là. Si vous ne le croyez pas, vous n'avez rien compris !

Le lendemain matin de bonne heure, je vais chez M. Bateman afin de trouver un cercueil pour Jonah. Malgré la promesse que j'ai faite à Tante Ruth, aucun n'est à ma portée. M. Bateman a pitié de moi : il me montre une boîte en sapin qui ressemble à une vulgaire caisse d'emballage et me propose de me la céder à moitié prix, parce que les planches du fond sont tordues. « Une fois le corps posé dessus, dit-il, personne ne verra la différence. » Il est d'accord pour que je le paie en plusieurs fois :

— Je sais que ta famille honore ses dettes.

De retour à la maison, j'attends avec Iris et Soly le pick-up de Tiro. Il passe, mais maman n'est pas dedans. C'était sa seule chance d'arriver à temps. Elle va manquer l'enterrement de Jonah. Où est-elle ? Pourquoi n'est-elle pas venue ? Une pensée terrible me traverse : « Et si elle n'avait pas eu le message ? Peut-être que j'aurais dû appeler des dizaines de fois, jusqu'à ce que l'épicier aille la chercher ? Peut-être que, comme toujours, c'est ma faute. »

Mme Tafa est dans sa cour. En temps ordinaire, elle triompherait et me lancerait un : « Qu'est-ce que je t'avais dit ? » Mais, aujourd'hui, pas un mot. Pourquoi est-elle gentille ? Je devrais m'en réjouir. Au contraire : ça me fait mal au ventre.

35

Après le dîner, je fourre quelques vêtements de rechange dans un sac et je me prépare à partir pour la veillée mortuaire chez Tante Ruth. Esther s'occupera des petits après mon départ. Le soleil est couché et l'air se rafraîchit. Je passe un tricot léger et je m'apprête à sortir lorsque Mme Tafa arrive à la porte :

— J'ai pensé que tu voudrais que je t'emmène. Ta tante Ruth habite un peu loin, ce n'est pas prudent d'y aller à bicyclette, la nuit.

Je n'en reviens pas. Avec toutes les horreurs que Mme Tafa a dites sur Jonah, elle vient à sa fête d'enterrement ? Elle remarque mon étonnement et se justifie :

— Les funérailles, c'est pour les vivants. J'aime bien ta tante Ruth, elle est gentille, et ça lui fera plaisir qu'il y ait du monde.

En chemin, Mme Tafa me raconte des histoires d'enterrement. Certaines sont drôles, d'autres tristes.

Elle se souvient des funérailles de Sara, et rit en se rappelant que j'avais envoyé les sœurs de Jonah chercher les hommes partis se saouler au shebeen. Désespérant de me faire rire, elle finit par allumer la radio, réglée sur la station « Bible ». J'entends un prêcheur déclarer : « Dieu ne nous inflige jamais plus que ce que l'on peut supporter. » Je songe à maman, à Esther, et j'ai envie de lui casser la figure.

Vingt minutes plus tard, nous arrivons chez Tante Ruth. Son quartier ressemble au nôtre : des cases en terre battue, des bâtiments préfabriqués de deux pièces ou de simples cubes de béton s'alignant le long des rues. Comme il s'agit d'un enterrement bon marché, il n'y a pas de barnum pour les gens qui passeront la nuit sur place. Tante Ruth a simplement demandé à ses frères d'installer une bâche entre sa maison et le hangar, maintenue par des parpaings.

Il n'y a pas grand-monde, et je ne connais personne. Ce sont sans doute tous des amis de Tante Ruth. Elle accourt justement, et fait les présentations :

— Vous vous souvenez quand j'ai gardé les petits de Jonah, il y a quelques mois ? lance-t-elle à la cantonade. Eh bien, voici leur grande sœur, Chanda, et une amie de la famille, Rose Tafa.

Mme Tafa retrouve une vieille connaissance, du temps de la mine.

— C'est une chose terrible, cet accident! lui dit celle-ci. Tomber dans un puits, comme ça. Ce pauvre Jonah n'a jamais eu de chance.

Et ainsi de suite, toute la nuit, j'entends les gens répéter que la mort de Jonah a été causée par un accident. Un accident? Sont-ils aveugles? J'ai envie de rire, ou de hurler... Toutefois, par égard pour Tante Ruth, je ne fais ni l'un ni l'autre.

Aux environs de minuit, Mme Tafa se plaint de son dos et m'abandonne, avec un sac de couchage et la promesse de venir me chercher le lendemain pour me conduire au cimetière. Elle tient parole, et son camion qui pétarade réveille à l'aube tous ceux qui ont dormi là.

Avant de partir pour le cimetière, nous défilons dans la maison pour nous incliner devant le corps de Jonah. La caisse qui lui tient lieu de cercueil est fermée, et Tante Ruth l'a enveloppée dans un tissu de polyester argenté qui en masque les imperfections. Au cimetière, la cérémonie est simple. Peu de gens sont venus, mais assez tout de même pour nous éviter d'avoir honte. Je cherche en vain Mary du regard, et je me rends compte que je ne l'ai pas croisée depuis un bon bout de temps. On descend le cercueil en terre. Encore quelqu'un que je ne verrai plus. La vie est étrange.

Je remonte dans le pick-up de Mme Tafa et nous retournons chez Tante Ruth pour le repas de fête. Au début, Tante Ruth craignait d'être montrée du doigt parce qu'elle ne pouvait pas fournir beaucoup de nourriture. Cependant, hier soir, ses frères ont cédé et ont apporté une jambe de bœuf. Sa voisine est arrivée avec des carottes, des pommes de terre et du pain. Les gens aiment énormément Tante Ruth.

Le retour à la maison se fait dans le calme. Pour une fois, Mme Tafa respecte les limitations de vitesse. Elle tente plusieurs fois d'amorcer la conversation, tandis que je persiste à regarder par la fenêtre sans mot dire. Je sens qu'elle donnerait cher pour lire dans mes pensées. Finalement, n'y tenant plus, elle me demande :

— Qu'est-ce qu'il y a ?

— Je ne comprends pas pourquoi maman n'est pas venue. Je suis sûre qu'elle aurait voulu être là.

— Tu as fait ce que tu as pu.

Elle fouille dans son sac et en extrait un sandwich à la viande — une friandise qu'elle a mise de côté pendant le repas. Entre deux bouchées, elle reprend :

— Pour moi, ta mère n'avait aucune raison de venir, ni même d'en avoir envie.

— Elle l'aimait ! C'était comme un père pour Iris et Soly.

— C'est ça, et c'était aussi un coureur et un pochard qui lui a fait honte et lui a brisé le cœur. Son accident ne change rien à l'affaire.

— Son *accident* ? dis-je dans un souffle.

— Oui, son accident, insiste Mme Tafa. Comment tu veux appeler ça ?

— Je dirais un suicide, ou un meurtre.

Mme Tafa manque de nous envoyer dans le décor. Elle pile et se tourne vers moi :

— Qu'est-ce que tu racontes ?

— Je sais qu'il n'y aura pas d'enquête, dis-je calmement, mais nous connaissons toutes les deux la vérité. Jonah s'est jeté dans le puits — ou on l'y a poussé — parce qu'il avait le sida.

— Tais-toi ! Si les gens pensent que Jonah avait le virus, ils diront que ta mère l'a aussi.

— Ça ne m'étonnerait pas qu'ils le disent déjà.

— Ils l'ont peut-être dit, avant. Certainement pas depuis que j'ai fait venir Mme Gulubane. Maintenant, ils racontent que ta mère est envoûtée. Et que Jonah a eu un accident. C'est la vérité qu'ils veulent croire. Et c'est celle que tu devrais croire, toi aussi.

— Eh bien, non, justement ! Et je suis sûre que maman a des ennuis.

— Qu'est-ce que tu en sais ?

— Pourquoi n'aurait-elle pas appelé, sinon ?

— Parce que.

— Parce que quoi ?

— Parce que, c'est tout.

— Dites-moi pourquoi.

— Non !

Je prends une profonde inspiration et j'ouvre brusquement la portière du pick-up :

— Merci, Mme Tafa, je vais continuer à pied.

— Chanda, il y a des choses que tu ne comprends pas.

— Peut-être. Mais je sais que maman a besoin de moi. En arrivant à la maison, je fais mes bagages et je vais à Tiro.

— Comment ? grogne-t-elle. Tu n'as pas d'argent pour payer le bus.

— Je ferai du stop.

— Tu es folle ? Une jeune fille seule sur la route ? Il n'y a pas que les prostituées qui se font violer !

Mme Tafa me suit au ralenti tandis que je marche au bord de la route. Par sa vitre ouverte, elle me crie :

— Chanda ! Qu'est-ce qui te fait croire que ta maman a envie de te voir ?

Imperturbable, je continue mon chemin :

— Et pourquoi pas ?

Je me mets à courir ; elle me colle comme du papier à mouches.

— Peut-être que ta mère n'a jamais envisagé de rentrer. Peut-être qu'elle vous a dit adieu pour toujours...

— Vous mentez.

— Tu le crois vraiment ? Je lui ai fait une promesse, Chanda. Je ne peux pas te laisser aller à Tiro.

— Essayez seulement de m'en empêcher.

36

Je fonce dans la maison, les tempes bourdonnantes.
Mme Tafa freine brusquement, descend du pick-up et se
lance à ma poursuite. Esther est à l'intérieur avec Soly et
Iris. Bouche bée, ils me regardent claquer la porte, tirer
le verrou et m'adosser au battant. Mme Tafa le martèle
de coups de poing en exigeant que je la laisse entrer.

Je me bouche les oreilles et je lui crie :

— Allez-vous-en ! Allez-vous-en ! Allez-vous-en ! Allez-
vous-en !!!

Soly se met à pleurer. Pendant qu'Esther le console,
Iris s'enfuit dans la chambre et se cache sous la couver-
ture. Finalement, Mme Tafa se lasse. Je l'entends haleter.
Elle lâche :

— Bon, eh bien, vas-y. Brise le cœur de ta maman ! Et
brise aussi le tien, pendant que tu y es.

À travers les lattes des volets, je la vois se traîner
péniblement jusqu'à son portillon. Elle s'arrête un

instant pour s'essuyer le front avec le bras et disparaît de ma vue.

Je me recroqueville sous la fenêtre. Esther et Soly viennent s'accroupir près de moi.

— Ça va aller, Chanda ! dit Soly, très sérieux. On t'aime.

Je le serre fort dans mes bras et je le couvre de baisers. Puis je l'emmène dans la chambre et je leur raconte une histoire, à Iris et à lui. Fatigués par toutes ces émotions, ils s'endorment, blottis l'un contre l'autre. Dorment-ils vraiment ? Dans le doute, je fais signe à Esther de me suivre dehors, et nous allons nous asseoir derrière les cabinets. Je lui rapporte ma conversation avec Mme Tafa.

— Il faut que j'aille voir maman, lui dis-je, mais je ne sais pas quoi faire des petits.

— Ne t'inquiète pas, me rassure Esther, je m'occuperai d'eux. Après ce qui s'est passé chez le ferrailleur, Iris n'ira pas bien loin. Et, si j'ai un souci, il y a toujours Mme Tafa. Même furieuse, elle ne voudra pas qu'il leur arrive du mal.

Je hoche la tête :

— Bon, alors, je vais préparer mes affaires. Il est presque midi. Si je dois faire du stop, je préfère qu'il fasse jour le plus longtemps possible.

— Ne fais pas de stop. C'est dangereux.

— Je n'ai pas le choix.

— Si.

Esther me tapote la main :

— Attends-moi là.

Elle se lève et entre dans la maison. Une minute plus tard, elle en ressort avec une vieille boîte à chaussures entourée de ficelle. Elle s'assied à côté de moi et l'ouvre avec mille précautions, comme si c'était la chose la plus précieuse du monde. Ça l'est. Sous les faire-part de décès de ses parents et leurs notices nécrologiques, il y a deux enveloppes bourrées de billets.

— J'ai quatre-vingt-dix-huit dollars, plus un peu de monnaie, m'explique-t-elle. Ma tante venait dans l'appentis pour me voler. Je l'ai souvent prise sur le fait. La première fois, elle m'a dit qu'elle ne prélevait que ce qui lui revenait, parce qu'elle s'occupait de moi. La fois d'après, elle a prétendu qu'elle prenait mon argent pour le donner au Seigneur, afin que je n'aille pas en enfer. À force, j'ai pris l'habitude de laisser traîner un billet ou deux dans des endroits où elle les trouverait facilement, et de cacher le reste dans cette boîte. C'est l'argent que j'économisais pour pouvoir vivre de nouveau avec mes frères et ma sœur, mais il n'y en a pas assez, alors autant que tu l'utilises.

Je regarde les billets. C'est plus qu'il n'en faut pour payer mon voyage d'aller à Tiro, mon retour et celui de maman. Puis je regarde les cicatrices sur le visage d'Esther et je secoue la tête :

— Je suis désolée. Je ne peux pas utiliser cet argent.

— Pourquoi ? Parce que je l'ai gagné en me prostituant ? J'ouvre la bouche pour protester. Aucun son n'en sort.

— Tu m'as sauvé la vie, poursuit Esther. Si tu ne m'avais pas recueillie, je serais morte. J'ai besoin de te remercier. S'il te plaît, laisse-moi le faire.

J'accepte. Je prends l'argent, je prépare mon bagage et je vais attendre le bus pour Tiro. Je ne téléphone pas pour prévenir. Je ne laisse à personne la possibilité de me dire : « Ne viens pas. » Je me contente de monter dans le pick-up et de faire des signes de la main à ceux que j'aime.

— Ne vous inquiétez pas, dis-je à Iris et Soly, je reviens bientôt. Je reviens avec maman.

Est-ce que j'ai péché en acceptant l'argent d'Esther ? Est-ce que j'ai péché en montant dans ce pick-up ? Je n'en sais rien. Et pire : ça m'est égal. Je me soucierai une autre fois du bien et du mal. Pour l'instant, il n'y a plus que maman qui m'importe.

Nous roulons pendant des heures dans la campagne, en traversant un village de temps à autre. Le soleil se couche. Dans la lueur des phares, j'aperçois la jungle, des cases abandonnées, un éléphant, quelques parcelles défrichées. Je repense aux paroles de Mme Tafa, qui prétend que maman n'avait pas prévu de revenir à la maison.

Que ses adieux étaient définitifs. Mme Tafa est sa meilleure amie... Se peut-il que maman lui ait confié un secret ?

Je sais qu'elle a le sida, mais je me suis toujours efforcée de minimiser la gravité de son état. À présent, assise dans ce pick-up, au milieu de la nuit, je suis frappée par l'évidence. Maman est plus que malade. Elle est en train de mourir. Peut-être même qu'elle est déjà morte.

Je murmure ces mots. Je les répète comme s'il s'agissait d'un secret — un secret que je me serais aussi caché à moi-même. Je transpire abondamment, mais mes yeux sont secs. Je réfléchis : maman déteste Tiro, elle disait qu'elle ne voudrait y vivre pour rien au monde, alors pourquoi y est-elle retournée pour mourir ? Pourquoi n'est-elle pas restée à la maison, avec Iris, Soly et moi ? Est-ce à cause du sida ? A-t-elle pensé que nous aurions honte ? Que nous ne l'aimerions plus ?

« Maman, dis-je dans un souffle, je t'en prie, écoute-moi ! Si tu vis encore, je te fais une promesse : tu ne mourras pas à Tiro. Je te ramènerai à la maison. Je t'aime. Nous t'aimons tous et nous t'aimerons toujours, quoi qu'il arrive. »

À onze heures, nous quittons la grande route et nous arrivons peu après à l'entrée du village. Le pick-up s'arrête devant l'épicerie. À gauche, il y a une station d'essence ; à droite, quelques hommes sont assis. Ils fument des cigarettes en riant, un verre à la main. Une ampoule nue pend au-dessus de la porte. Une publicite pour de la bière clignote sur la devanture. Dans quelques minutes, je verrai maman. Ou je saurai ce qui lui est arrivé.

« Mon Dieu, si tu es quelque part, s'il te plaît, aide-moi. »

Troisième partie

37

Je m'efforce d'être calme. Si je veux aider maman, je vais avoir besoin de toute ma tête.

Je descends de la plate-forme et je regarde autour de moi. L'épicerie est exactement comme dans mon souvenir, avec ses murs à la chaux écaillée qui gagneraient à être repeints en blanc. En revanche, les enseignes au néon sont nouvelles, de même que ces taches de lumière, traçant une ligne de pointillé depuis l'épicerie jusqu'à l'horizon. Ce sont des braseros, allumés dans des cours, devant des maisons qui n'existaient pas du temps de papa.

À l'époque, on faisait le voyage jusqu'à Tiro une fois par an. Un oncle de papa venait nous chercher à l'arrivée du pick-up, et nous emmenait en buggy jusqu'à la ferme. J'étais enchantée de retrouver mes cousins et de voir ma sœur aînée, Lily, celle qui s'était mariée au village.

Au cours de notre séjour, nous nous rendions au moins une fois à la ferme des Thela, les parents de maman. Mes grands-parents maternels me terrorisaient : ils gardaient en permanence les bras croisés et ne souriaient jamais. Avant la visite, maman nous habillait avec soin, mes frères et moi, et nous faisait mille recommandations. Elle voulait qu'on soit irréprochables.

Mes frères avaient de la chance : ils passaient l'après-midi à chasser avec mes oncles, alors que je restais avec maman et ses sœurs. Grand-père et Grand-mère Thela nous emmenaient sur la tombe de Tante Amanthe, où Tante Lizbet nous servait du thé et des biscuits en nous fusillant du regard. Même lorsque j'étais affamée, je m'efforçais de ne rien manger. La moindre miette qui restait collée sur mes lèvres ou qui tombait sur ma robe me valait une remarque cassante.

Après la mort de papa et de mes frères, nous ne sommes revenues qu'une fois à Tiro. Iris était bébé, et maman était enceinte de Soly. Je suis sûre que la famille de papa ne souhaitait pas qu'elle reste célibataire éternellement, mais la voir avec l'enfant d'un autre homme, et enceinte d'un troisième... D'une certaine manière, ils n'avaient jamais oublié combien le mariage de maman avec papa leur avait coûté. Ces « autres hommes » dans sa vie, ça a été le prétexte pour rompre les liens avec nous.

Grand-mère et Grand-père Thela, quant à eux, ne se sont jamais plaints de ne plus nous voir. Maman leur donnait de nos nouvelles dans les lettres qu'elle adressait à ma grande sœur Lily. Cette dernière les leur lisait et nous écrivait en retour quelques mots de leur part. Nous avons ainsi appris qu'ils avaient quitté la ferme pour s'installer au village. L'électricité était enfin arrivée jusqu'à Tiro, qui s'était aussi équipé de fontaines et d'un dispensaire.

Ma grand-mère, mes tantes et mes cousines ont déménagé en premier. Au début, mon grand-père, mes oncles et mes cousins les rejoignaient le week-end en laissant le bétail à la garde des bergers, mais les hommes en ont vite eu assez de devoir se faire à manger, et ils n'ont pas tardé à venir s'installer au village à leur tour. Chaque matin, avant l'aube, ils partaient au travail en charrette ou à bicyclette. C'est encore ce qu'ils font, imités par les hommes des autres fermes, qui ont également déménagé.

Je pose mon sac par terre et je m'étire. L'épicier quitte le cercle des buveurs d'un pas tranquille et entreprend de décharger les cageots de nourriture qui ont voyagé avec moi depuis Bonang. Il est comme dans mon souvenir, en plus petit.

— Monsieur Kamwendo ?

Il lorgne dans ma direction :

— Ouais.

— C'est moi, Chanda Kabelo.

— Mon Dieu !

Il essuie ses mains sur son pantalon et serre celle que je lui tends. Il n'est pas saoul, mais son haleine sent l'alcool.

— Tu as drôlement grandi ! La dernière fois que je t'ai vue, tu étais haute comme un criquet. Je suis désolé pour ton beau-père.

— Merci.

— Alors, qu'est-ce qui t'amène à Tiro ? Tu viens rendre visite à tes grands-parents Thela ?

— Pas exactement. Je suis venue voir maman.

Il a l'air perplexe.

— Vous savez... maman ? Elle est chez Grand-père et Grand-mère. J'ai téléphoné il y a deux jours. Je vous ai demandé de lui transmettre des messages.

Quelque chose dans sa façon de se gratter la tête m'inquiète.

— Qu'est-ce qu'il y a ?

— Rien, dit-il. C'est juste que... ta maman n'est plus là.

— Quoi ?

— Elle n'est plus là. Elle est partie.

38

« Maman est partie, mais elle n'est pas morte. » C'est ce que je persiste à me répéter, pendant que M. Kamwendo me conduit, à pied, chez mes grands-parents maternels.

— Je suis allé porter tes messages, me dit-il en éclairant les nids de poule avec sa lampe-torche. J'ai voulu parler à ta maman, comme tu me l'avais demandé, mais ta tante Lizbet m'a répondu qu'elle était déjà partie, qu'elle avait profité de la voiture d'un ami qui rentrait à Bonang. Ta grand-mère est venue au magasin plus tard. Elle a téléphoné à votre voisine pour lui dire de te prévenir. Elle ne l'a pas fait ?

— Non.

— Et ta maman n'est pas rentrée ?

Je secoue la tête.

— C'est étrange, marmonne-t-il. Oh, mais je suis sûr qu'il y a une explication.

— J'en suis sûre aussi, dis-je tout en maudissant intérieurement Mme Tafa. Et quand maman était là... est-ce que vous l'avez croisée souvent ?

— Pas vraiment. Ça n'a rien d'étonnant, avec tous les gens qu'elle avait à voir. Je l'ai aperçue quand elle est arrivée.

— Comment était-elle ?

— Elle avait mal au cœur à cause du voyage. Pourquoi ?

— Je me posais la question, c'est tout.

Tiro est assez étendu, et de grandes distances séparent chaque petit groupe de cases. On croise une bonne vingtaine de rues avant d'arriver à l'extrémité du village. Derrière nous, les braseros rougeoient dans la nuit, comme des yeux incandescents.

L'épicier s'arrête.

— La propriété de tes grands-parents est juste là, dit-il en braquant sa lampe de poche dans l'obscurité. C'est plus rapide si on coupe à travers ce champ.

Je n'y vois absolument rien, et la lampe montre déjà des signes de faiblesse. J'hésite :

— Ah bon, vraiment ?

— Ouais, ouais. C'est assez dégagé. Il n'y a que des herbes hautes.

Je prends une profonde inspiration et je m'avance dans le noir, à la suite de mon guide. Devant moi, la lumière de sa lampe danse comme une luciole. Nous marchons en silence.

— C'est bizarre que personne ne soit venu te chercher, lâche-t-il soudain.

— Je ne leur ai pas dit que je venais.

— Ah.

Une pause.

— Alors personne ne t'attend ?

— Non.

Nouveau silence. J'aimerais savoir ce qu'il pense. J'ai la gorge sèche.

— On est bientôt arrivés ?

— Ouais, ouais.

Le champ est plus grand que je ne me l'étais imaginé. Je regarde par-dessus mon épaule. Je ne distingue plus ni la route, ni le village. Je n'aperçois que les touffes d'herbe devant mes pieds.

— C'est encore loin ?

— Plus tellement.

Mes cheveux se dressent sur ma nuque. J'ai envie de faire demi-tour et de courir, mais j'ai peur. Qui sait ce qu'il y a autour ! Ou même devant.

— On devrait peut-être retourner à la route.

— Ne t'inquiète pas, je sais où je vais.

— Vous en êtes sûr ?

— Ouais, ouais, ricane-t-il.

Y aller à pied, c'était une mauvaise idée. J'aurais dû téléphoner avant de partir, pour demander qu'un oncle vienne me chercher en buggy. J'aurais dû dire à M. Kamwendo que ma famille m'attendait. J'aurais dû...

Soudain, la lampe de poche s'éteint. L'épicier me saisit le bras et me tire en arrière. Je veux crier, mais rien ne sort. Il frappe la lampe contre sa jambe, et la lumière revient.

— Attention au buisson, me dit-il. Ne va pas t'écorcher sur ces épines.

À moins de deux pas devant moi se dresse un ébénier.

— Merci !

Au moment où il me lâche le bras, la lune apparaît derrière un nuage et je distingue les silhouettes de quelques cases qui se découpent dans l'obscurité.

— On y est, dit M. Kamwendo. Tes grands-parents et ta tante Lizbet habitent dans la case du milieu. Tes oncles, tes autres tantes et tes cousins vivent dans celles qui sont autour.

Il va frapper à la porte de mes grands-parents et crie, pour éviter qu'ils soient effrayés :

— Holà ! C'est moi, Sam Kamwendo. Je vous amène quelqu'un.

Une lampe s'allume à l'intérieur de la case ; la lumière filtre par les fentes des volets.

— Quelqu'un ? fait une voix de vieille dame que je reconnais à peine.

— Grand-mère ? C'est moi, Chanda !

Le silence plane un court instant, puis :

— Lizbet, va ouvrir la porte !

Je perçois encore des murmures, un juron... On tire le verrou et la porte s'ouvre. Tante Lizbet jette un regard méfiant à l'extérieur.

— Qu'est-ce que tu fais là ?

— Je suis venue voir maman.

— Elle est partie.

— C'est ce que je lui ai expliqué, intervient l'épicier.

Tante Lizbet le salue de la tête :

— Bonsoir, Sam.

— J'ai téléphoné il y a deux jours, dis-je. D'après M. Kamwendo, elle est partie à ce moment-là, mais elle n'est pas rentrée à la maison. Où est-elle ?

Grand-mère Thela arrive en robe de chambre, d'un pas traînant. Sa peau est aussi craquelée que la terre à la saison sèche.

— Elle est avec des amis à Henrytown, déclare-t-elle. Leur auto est tombée en panne. Un problème de radiateur. Elle rentrera chez vous quand ce sera réparé. Dans une semaine, peut-être.

— Comment vous le savez ?

Je me tourne vers l'épicier :

— Est-ce que maman a téléphoné de Henrytown ?

— Tu oserais traiter ta grand-mère de menteuse ? gronde Tante Lizbet.

Des tantes et des oncles apparaissent à la porte des autres cases.

M. Kamwendo s'éclaircit la gorge :

— Bon, il est temps que j'y aille.

— Bonne nuit, lui lance Grand-mère Thela avec brusquerie. Merci de t'être dérangé. Ne t'inquiète pas pour Lilian, tout va bien.

— C'est comme tu le dis, madame Thela.

L'épicier soulève son chapeau, fait demi-tour et repart d'un pas tranquille à travers champ.

Grand-mère fait un signe du menton à mes oncles et tantes :

— Ce n'est rien. Une fille de Lilian. On s'en occupe.

— Entre ! m'ordonne Tante Lizbet.

Pendant que Grand-mère verrouille la porte, Tante Lizbet me prend par le bras, me tire jusqu'à la table de la cuisine et me pousse sur un tabouret. Je me relève d'un bond. Elle veut me forcer à me rasseoir, mais je résiste et je recule, les poings serrés. Elle lève sa canne.

— Qu'est-ce qui se passe ? fait une voix faible derrière un rideau.

— Ce n'est rien, papa, crie Tante Lizbet. Rendors-toi.

— J'espère que tu es contente, siffle Grand-mère Thela, tu as réveillé ton grand-père ! Un vieil homme malade... et sourd, par-dessus le marché.

— Où est maman ?

— On te l'a dit : à Henrytown.

— Donnez-moi une adresse. Un numéro de téléphone.

— Retourne à Bonang, dit Tante Lizbet, elle y sera bien assez tôt.

— Je ne vous crois pas ! Demain matin, j'irai trouver la police.

— C'est ça, va faire des histoires ! s'écrie Grand-mère. Ah, tu es bien comme ta mère, tiens !

Tante Lizbet brandit la Bible posée sur la table de la cuisine :

— Rappelle-toi les dix commandements, ma fille. « Honore ton père et ta mère, afin que tes jours soient longs dans le pays que ton Dieu te donne. » Ta maman a eu ce qu'elle méritait. Et ce sera pareil pour toi.

Je me fige :

— Elle est morte ?

— Elle a défié le Seigneur et ses ancêtres, a déshonoré sa famille, en a convoité une autre, a commis l'adultère...

— *Est-ce qu'elle est morte ?*

— Elle a la maladie. La malédiction de Dieu.

— La maladie n'est pas la malédiction de Dieu, dis-je, pas plus que ton pied-bot. Quel péché as-tu commis pour avoir ça ?

Tante Lizbet me menace de sa canne :

— C'est la vengeance de Dieu !

Je m'esquive juste à temps :

— Dieu, tu parles ! Je parie que tu ne le reconnaîtrais pas s'il venait te mordre le nez !

Tante Lizbet rugit et lève de nouveau sa canne. Je me réfugie sous la table. Elle frappe les planches et envoie voler les tasses de fer blanc.

— Ça suffit, Lizbet ! aboie Grand-mère Thela. Assez ! Assez !

Tante Lizbet baisse lentement sa canne et recule. Je sors de dessous la table. Grand-mère Thela se laisse tomber dans son rocking-chair et me fait signe de venir m'asseoir sur la chaise en face d'elle. J'obéis.

Nous nous dévisageons pendant un long moment. Je ne sais si c'est la fumée de la lampe à huile : ses yeux me semblent humides. Dans les traits de son visage, je reconnais ceux de maman, et un peu des miens, aussi. Voit-elle la même chose en moi ?

— On a gardé ta maman ici aussi longtemps qu'on a pu, me dit-elle. On lui a construit un abri derrière le tas de bois, mais son état s'est aggravé. Ses jambes ne la portaient plus. Il y a une semaine, elle a perdu le contrôle de ses intestins. On lui a donné du thé et de l'écorce de baobab… Ça n'a servi à rien, alors on a dû la cacher ailleurs. Dans un endroit assez éloigné pour que sa puanteur ne fasse pas honte à la famille.

— Il a toujours fallu qu'elle nous fasse honte, murmure Tante Lizbet. Même en mourant…

Il y a quelque temps, j'aurais pu gifler Tante Lizbet pour les paroles qu'elle vient de prononcer. Plus maintenant. Je n'ai même plus la force de me mettre en colère.

— Où est-elle ?

— À la ferme, dit Grand-mère Thela. Dans une des anciennes cases.

J'agrippe les accoudoirs de ma chaise :

— Quoi ?

— On fait ce qu'on peut. On lui a donné une natte et une couverture. Chaque jour, l'un de nous lui apporte à manger et à boire.

— Qui est avec elle en ce moment ?

Grand-mère hésite un instant avant de répondre :

— Personne.

— Personne ? Maman est seule dans la brousse ?

Le visage de Grand-mère trahit son désarroi :

— On ne peut pas rester avec elle. Les gens se douteraient de quelque chose.

— D'ailleurs, intervient Tante Lizbet, ça ne fait aucune différence pour ta mère. Elle a perdu la tête. Elle est incapable de bouger, elle ne mange rien, et elle boit à peine. Elle ne nous reconnaît même plus.

Je regarde Grand-mère. Des larmes coulent sur ses joues.

— Je suis désolée, Chanda, dit-elle. C'est un petit village. On ne savait pas quoi faire d'autre.

39

Aux premières lueurs du jour, je pars pour la ferme. L'air est vif et mordant. Çà et là, des chauves-souris descendent en piqué vers leur abri, où elles se reposeront jusqu'à la tombée de la nuit.

Je laisse Tiro derrière moi et me dirige vers la grande route, puis je remonte vers le nord jusqu'au baobab géant. Perchée tout en haut de l'arbre, une famille de babouins piaille et jette des branchettes sur la piste de terre qui s'enfonce en serpentant dans la brousse.

Aucune clôture ne sépare les fermes, et seuls les rochers, les monticules, les buissons et les arbres permettent de repérer les différentes propriétés. Depuis ma dernière visite, des arbustes sont devenus des arbres, et certains arbres ont disparu, mais ça n'a pas d'importance. J'ai la même impression quand je traverse Bonang à bicyclette et que je remarque un nouveau magasin, ou la disparition d'un marchand ambulant. Malgré les changements, je sais exactement où je me trouve, et quelle direction je dois prendre.

Quelques kilomètres plus loin, j'aperçois les trois grosses pierres qui délimitent, à l'est, la ferme de ma famille. Sur la plus grosse, un lézard prend le soleil la gueule ouverte, à l'affût des insectes. Je quitte la piste pour un dédale de sentiers peuplés de geckos qui s'enfuient devant mon ombre.

Grand-mère m'a indiqué où trouver maman. Elle est couchée dans une case abandonnée, près de la tombe de Tante Amanthe. Quand cette dernière est morte, les Malunga nous ont rendu son corps et celui de son bébé — à cause de la « malédiction » de maman, j'imagine. Mes grands-parents les ont enterrés dans l'enceinte de leur ferme. Peu après, le sorcier leur a dit que le mal était toujours là et qu'ils devaient quitter les lieux s'ils ne voulaient pas que leur bétail périsse. Alors ils ont construit de nouvelles cases, un peu plus loin. Ce sont celles où vivent leurs bergers, à présent.

Après une marche éprouvante, j'approche de la case où est maman. Je la reconnais, pour être venue à plusieurs reprises sur la tombe de Tante Amanthe. Déjà, à l'époque, son toit de chaume était défoncé et ses murs de boue s'effritaient. Tout ce qu'il en reste, aujourd'hui, c'est un fragment de mur sur lequel s'appuient quelques poutres de mopane. La plupart des piquets sont à terre, et ceux restés debout le doivent aux termitières qui les maintiennent en place. Des herbes poussent dans les anciennes pièces d'habitation.

Je m'arrête :

— Maman ?

Tout est tranquille ; seul un vol d'oiseaux noirs plane en cercle au-dessus de ma tête. Je continue d'avancer vers la case. Au début, j'ose à peine respirer, mais bientôt je ne marche plus, je cours. Je me précipite.

— Maman ? Maman ?

Deux piquets sont appuyés contre le mur de terre et recouverts de fragments de chaume. Par terre, à l'ombre du chaume, je vois un pichet, une assiette de nourriture intacte et une natte. Et, allongé sur la natte, un petit ballot immobile, enveloppé dans un drap taché, bourdonnant de mouches. Je m'agenouille sous le chaume et je rampe à son côté. Je touche son épaule frêle.

— Amanthe ? fait une voix aussi faible qu'une respiration. C'est toi, Amanthe ?

— Non, maman, dis-je dans un murmure. C'est Chanda.

Pendant un temps, rien ne se passe. Puis le ballot se recroqueville :

— Pardonne-moi, Amanthe.

— Non, maman. Tante Amanthe est morte. C'est moi, Chanda.

Elle frissonne :

— Chanda ?

— Oui.

Je tire le drap. Maman tourne la tête vers moi. Elle a le regard troublé et effrayé à la fois.

— Chanda ?

— Tout va bien, maman, je suis là.

J'imbibe mon mouchoir avec l'eau du pichet, je lui tamponne le front et lui humecte les lèvres.

Les yeux de maman se voilent.

— Chanda, je suis perdue.

— Tout va bien. Je t'ai trouvée.

Je lui prends la main :

— On rentre à la maison.

40

Je ne suis pas venue seule à la ferme. Avant de quitter Tiro, je me suis arrêtée au dispensaire, où j'ai expliqué mon histoire. Une infirmière et un aide-soignant m'ont proposé de m'emmener en camionnette. Je les ai guidés tout au long de la piste et nous avons continué à pied dans la brousse. Lorsque nous avons atteint la propriéte de mes grands-parents, ils sont partis explorer des ruines de leur côté, tandis que je me suis dirigée vers la tombe de Tante Amanthe.

Je les avertis que j'ai trouvé maman, et ils se dépêchent de me rejoindre avec un brancard.

L'infirmière ouvre sa mallette et lui installe une perfusion dans le bras : c'est une poche de liquide qui contient des antibiotiques et des analgésiques[1]. Son contenu

---

1. Analgésique : médicament qui permet de lutter contre la douleur.

s'écoule par un tube de plastique, dont l'extrémité est reliée à une aiguille. Puis, avec l'aide-soignant, ils la soulèvent très précautionneusement pour la déposer sur la civière et la portent jusqu'à la camionnette.

Quelques minutes plus tard, nous sommes de retour au dispensaire. On emmène maman dans une salle où un docteur l'examine et m'interroge. Je lui parle de ses migraines, de ses sueurs nocturnes, de ses diarrhées.

Il fronce les sourcils :

— Il faudrait lui faire un test de dépistage du virus VIH.

Maman n'est pas en état de donner son accord, et c'est à moi de me prononcer. Ma gorge se serre :

— Allez-y.

Comme si je ne connaissais pas déjà le résultat...

— Nous n'avons pas de lits disponibles, s'excuse le docteur en lui faisant une prise de sang. Vous allez devoir soigner votre mère à la maison.

— On habite à Bonang. Elle ne survivra jamais à un voyage à l'arrière d'un pick-up.

Il réfléchit :

— On n'a pas souvent besoin de la camionnette, dit-il lentement. Je fais mes visites à vélo. Et, si nécessaire, mon frère a une Jeep. Si vous voulez, vous payez l'essence aller et retour, et l'aide-soignant vous reconduira.

— Merci.

Je palpe, sous ma robe, la bourse qui contient l'argent d'Esther :

— Est-ce que je pourrais aussi acheter des analgésiques ?

Il hoche la tête :

— Il y en a déjà dans le goutte-à-goutte. Je peux vous en vendre d'autres, pour le cas où elle en aurait besoin.

Il me montre comment remplacer le sac de la perfusion.

— Je vais appeler l'hôpital de Bonang pour qu'il vous envoie une assistante sociale, ajoute-t-il.

Cependant, son expression le trahit : il est convaincu que maman ne vivra pas assez longtemps pour en avoir besoin.

Avant de partir, je lui demande l'autorisation de téléphoner pour prévenir de notre retour. Le téléphone est posé sur le bureau, à l'accueil. Je tourne le dos aux gens qui patientent dans la salle ; ainsi, je m'imagine que personne ne m'entend.

— Allô, qui est à l'appareil ? fait une voix que je reconnaîtrais entre mille.

— Madame Tafa ?

Elle s'étrangle en me reconnaissant, puis glapit :

— Chanda ! D'où tu m'appelles ?

— De la clinique, à Tiro. Je suis avec maman.

— Dieu tout-puissant !

— Dites à Esther de préparer Iris et Soly. On rentre à la maison.

— Tu ramènes ta maman ici ?

— Oui !

— Non ! hurle Mme Tafa. Ta grand-mère m'a téléphoné ce matin. Elle m'a tout raconté. S'ils n'ont pas pu cacher sa maladie à Tiro, tu n'en seras pas capable, toi non plus.

— Et alors ?

— Et *alors* ? Les voisins l'apprendront.

— Ça m'est égal, dis-je. Si maman doit mourir, elle mourra à la maison, entourée de ses enfants qui l'aiment.

— Chanda, écoute-moi, ma fille.

— Non ! Vous, écoutez-moi ! J'en ai assez des mensonges, de me cacher et d'avoir peur. Je n'ai pas honte du sida ! J'ai honte d'avoir honte !

Je raccroche violemment le téléphone. Quand je me retourne, je m'aperçois que les gens sont bouche bée. Tous observent celle qui vient de dire l'indicible.

Je mets les mains sur les hanches :

— Qu'est-ce que vous regardez, là ?

Pendant le trajet du retour, maman est allongée sur un lit de camp à l'arrière de la camionnette. Assise près d'elle, je lui tiens la main et je place des compresses froides sur son front. Elle ne sait pas où elle est, ni qui je suis, ni ce qui se passe.

Soudain, elle tente de s'asseoir et s'écrie :

— Amanthe, ne te marie pas avec Tuelo ! Il te portera malheur. Je sais des choses que tu ne sais pas, Amanthe.

Puis elle laisse retomber la tête sur l'oreiller, ses yeux se révulsent et ses lèvres palpitent silencieusement.

Lorsque je la crois endormie, je m'épanche. Je lui parle d'Esther, je lui dis qu'elle habite à la maison, qu'elle m'a donné de l'argent pour venir à Tiro, de l'argent qu'elle avait économisé pour réunir sa famille.

— Je veux demander à ses frères et à sa sœur de venir vivre avec nous...

Un bref instant, maman ouvre les yeux. Elle a le regard clair. Elle acquiesce. A-t-elle compris ? Je l'ignore. Ses yeux se voilent de nouveau, son esprit s'égare. Elle recommence à s'adresser à Tante Amanthe, ou à papa. Enfin, elle chante une berceuse pour Sara et s'endort.

41

Nous arrivons à la maison en fin d'après-midi. Soly, Iris et Esther nous attendent au bord de la route.

Ils ne sont pas seuls. Les voisins vaquent à je ne sais quelles occupations dans leurs jardins. Ils font semblant de jardiner, de surveiller la cuisson du seswa sur leur brasero, ou de discuter par-dessus leur haie, mais ils n'ont pas les yeux dans la poche. Ils se demandent ce qu'attendent ces trois-là : les deux gamins et la prostituée.

Lorsque la camionnette s'arrête devant chez nous, ils s'approchent, mine de rien. Quand nous sortons maman de l'arrière du véhicule, ils fixent le goutte-à-goutte relié à son bras et les gants en caoutchouc de l'aide-soignant.

La seule voisine qui manque à l'appel est celle que j'ai prévenue de notre arrivée. Je m'imagine Mme Tafa, cachée derrière ses volets, folle de terreur à l'idée de vivre à côté d'une famille frappée par le sida.

Soly et Iris se précipitent vers moi. Je les serre dans mes bras :

— Maman est très malade, vous savez.

— Est-ce qu'elle va guérir ?

— Espérons-le.

Main dans la main, ils nous suivent dans la maison et dans la chambre de maman. Au-dessus de son lit, il y a un cadre avec des photos de nous bébés. Je le retire et j'utilise le clou pour accrocher le sac de la perfusion. Nous faisons glisser maman sur son matelas et je tire la couverture sur elle.

Iris, Soly et moi lui donnons chacun un baiser sur le front. Maman est inconsciente, mais on dirait qu'elle sait ce qui se passe. Un sourire se dessine sur ses lèvres et son visage se détend.

— Repose-toi, maintenant, lui dis-je.

Je raccompagne l'aide-soignant à la camionnette en ignorant les voisins, qui n'ont pourtant pas bougé d'un millimètre. Il monte dans son véhicule et met le contact, puis il me tend une boîte de gants en caoutchouc par la fenêtre.

Tout le quartier me dévisage. Je voudrais qu'il me suffise de fermer les yeux pour tous les faire disparaître. J'ai envie de réciter l'alphabet à m'en étourdir. Pourtant, je me force à sourire.

— Merci d'être venus, dis-je à la cantonade.

Silence.

Je connais tous ces gens, jusqu'au dernier. Je les connais depuis que nous habitons ici. Ce sont des gens bien, qui ont du cœur. Et voilà qu'ils me regardent comme si je n'existais plus. De terribles pensées me viennent à l'esprit : « N'avons-nous plus d'amis à partir d'aujourd'hui ? Sommes-nous isolés ? Va-t-on nous éviter ? Allons-nous désormais vivre et mourir seuls ? »

C'est alors qu'un miracle se produit. Une porte claque de l'autre côté de la haie. Tous les regards convergent vers Mme Tafa, qui s'avance vers moi à grandes enjambées en faisant tournoyer son ombrelle à fleurs. Elle m'embrasse sur les joues et déclare bien fort :

— Chanda, ça fait plaisir de te revoir !

Puis elle hoche la tête à l'intention des badauds :

— Je ne sais pas ce que vous fabriquez là, vous autres, mais moi, je veux saluer mon amie Lilian.

Personne ne bronche.

— Est-ce qu'il y a un problème ? demande-t-elle.

Un murmure s'élève de la foule. Mme Tafa arque un sourcil.

— Je connais toutes vos histoires, gronde-t-elle en dévisageant les voisins l'un après l'autre. Je sais ce qui se passe derrière vos portes fermées. Cette famille est la meilleure de tout le quartier. Si quelqu'un n'est pas d'accord, qu'il le dise, je serai ravie de dévoiler ses secrets.

Quelques toux nerveuses se font entendre. Des femmes toisent leur mari d'un air soupçonneux. Les jeunes hommes regardent leurs orteils. Et soudain, çà et là, des voix trouent le silence.

— Je suis content que tu sois de retour, me lance le vieux M. Nylo.

— On prie pour vous, m'assurent les Lesole.

Sous l'œil attentif de Mme Tafa, ils viennent tous me témoigner leur estime ou me serrer la main. Peu importe si certains s'empressent ensuite de s'essuyer sur leur pantalon ou leur robe. La gardienne des scandales a parlé. La malédiction est rompue.

42

Quand j'entre dans la maison avec Mme Tafa, Esther se dépêche d'emmener Iris et Soly dans leur chambre. À peine ai-je refermé la porte d'entrée que la visiteuse se met à trembler. Elle jette un coup d'œil par la fenêtre pour s'assurer que tous les voisins sont partis, puis elle porte une main à son cœur et s'effondre sur une chaise :

— De l'eau ! De l'eau !

Je lui apporte un verre. Elle l'avale d'une traite et en réclame un second.

— Merci pour ce que vous avez fait, madame Tafa.

Elle agite son mouchoir, comme pour me dire que ce n'est rien :

— Je peux aller voir ta maman ?

Je manque de tomber à la renverse. C'est la première fois que je l'entends demander la permission avant de faire quelque chose.

— Venez !

Je la conduis dans la chambre de maman et nous nous asseyons ensemble à côté du lit. Elle regarde la malade et soudain elle ne me paraît plus impressionnante du tout. Elle est comme moi : effrayée et seule.

— Chanda, murmure-t-elle, pardonne-moi. Ta maman et moi, nous avons cru bien faire. On a pensé que, si la guérisseuse venait, Lilian aurait une excuse pour disparaître, pour aller mourir en secret. Ta maman voulait vous épargner la honte... Et moi, je n'ai pensé qu'à moi. Les gens savaient que nous étions amies, alors j'avais peur qu'elle meure ici... après tout ce que j'avais dit sur la maladie...

— Ce n'est pas grave.

Loin de la réconforter, mes paroles semblent la désespérer. Elle plonge la tête entre ses genoux et se met à sangloter. Je lui passe un bras autour des épaules. Elle s'accroche à moi et pleure comme un bébé.

— Tu m'as remerciée pour ce que j'ai fait dehors, gémit-elle. Ce n'est pas moi qu'il faut remercier, c'est mon fils. Mon Emmanuel.

« Emmanuel ? Mais il est mort... »

— Quand tu as téléphoné de l'hôpital, continue Mme Tafa, j'étais terrifiée. J'ai fermé les volets et je me suis cachée derrière le rideau des cabinets. Lorsque la camionnette est arrivée, j'ai regardé entre les lattes. J'ai vu les voisins s'approcher, et je suis retournée me cacher, pour te laisser les affronter seule. Et c'est là que j'ai vu l'autel de mon Emmanuel posé sur la table. Son certificat de baptême, son faire-part de décès, l'enveloppe avec ses cheveux de bébé et, au milieu, sa photographie. Ses yeux me parlaient : « Maman, pour mon salut, tu sais ce que tu dois faire. » Il avait raison. Je le savais. Et, cette fois, je n'allais pas le trahir.

— Vous ne l'avez jamais trahi !

— Oh, que si ! Depuis sa mort, il ne s'est pas passé un jour sans que je le trahisse.

Elle serre son mouchoir dans son poing :

— Quand Emmanuel a obtenu sa bourse pour étudier le droit à Jo'burg, on était tous tellement fiers. Il n'avait jamais été du genre à perdre son temps avec les filles. Toujours dans les livres. Et ses efforts étaient enfin récompensés. Je me rappelle la dernière fois où l'on s'est parlé. Il était dans une cabine téléphonique, il allait chez le docteur passer une visite médicale.

— Juste avant son accident de chasse, n'est-ce pas ?

Elle secoue la tête :

— Mon garçon ne chassait pas. Il n'a pas eu d'accident. Il s'est tué.

La tête me tourne :

— Quoi ?

— Le médecin lui a proposé un test de dépistage du virus VIH, qui est revenu positif. Emmanuel a emprunté un fusil à un ami. Il est allé dans le bush, a enfoncé le canon dans sa bouche et a tiré. Tu vois, il ne savait pas comment nous le dire, à mon mari et à moi. Il avait peur qu'on ne comprenne pas. Il avait peur qu'on arrête de l'aimer.

— Mais c'est insensé !

— Tu crois ?

Elle s'essuie les yeux :

— Alors, pourquoi avons-nous déshonoré sa mort avec un mensonge ?

Nous restons assises en silence. Puis je chuchote :

— Je ne le dirai à personne.

— Tu peux le dire si tu veux. Quand je vois comment tu as soutenu ta mère... C'est de la même façon que je veux soutenir mon Emmanuel. Je ne me suis jamais sentie aussi forte qu'au moment où j'ai affronté les voisins, tout à l'heure. J'espère que mon garçon me regardait.

Avant de partir, Mme Tafa prend la main de maman et lui chuchote à l'oreille :

— Oh, Lilian, quelle fille tu as ! Quelle fille !

43

Deux jours plus tard, maman sombre dans le coma.

Pendant la journée, Esther s'occupe d'Iris et de Soly. Mme Tafa s'est arrangée avec les voisins pour qu'ils nous apportent de la nourriture à tour de rôle et nous donnent des coups de main pour les corvées. Je reste en permanence avec maman ; je la change et je la retourne pour éviter qu'elle ait des escarres. La nuit, je m'endors comme une masse sur une natte, à côté d'elle. Heureusement que je n'ai pas le temps de réfléchir, je crois que je deviendrais folle.

Au milieu de la semaine, je reçois la visite de M. Selamame. Spontanément, je me précipite dans ses bras :

— Monsieur Selamame, j'ai tellement peur !

Lorsque je retrouve un semblant de calme, je demande à Esther d'aller au chevet de maman et je vais faire quelques pas avec mon professeur. Nous allons dans le parc, nous asseoir sur les balançoires.

— Je suis désolée pour le lycée, lui dis-je. Désolée de vous avoir laissé tomber.

— Tu ne m'as pas laissé tomber, proteste M. Selamame.

Je m'essuie les yeux :

— Je ne crois pas que je pourrai retourner en cours. Quand tout ça sera fini, je devrai travailler.

— Je sais.

Il fait une pause.

— Chanda, le moment est mal choisi pour prendre des décisions, mais je veux que tu saches que j'ai fait des démarches. De nombreux professeurs sont malades, et on manque de remplaçants qualifiés. Tu étais l'une de mes meilleures élèves. J'ai parlé de toi au directeur de l'école élémentaire. Quand tu seras prête, si cela t'intéresse, tu pourras avoir le poste de remplaçante.

C'est une merveilleuse nouvelle. Ce travail de remplaçante me permettra de gagner de quoi vivre ; je pourrai avoir Iris à l'œil, ainsi que Soly, qui doit entrer à l'école l'an prochain. Cependant, je pense à mes rêves. Au diplôme que je voulais tant. À la bourse que j'espérais décrocher pour devenir avocate, ou médecin. Ou professeur pour de vrai. Mes rêves partent en fumée. Je déglutis péniblement.

M. Selamame sait pourquoi je pleure. Il me pose une main sur l'épaule :

— Chanda, il faut que tu t'accroches à tes rêves, tu m'entends ? Cette situation n'est que provisoire. Les rêves sont pour toute la vie.

Le soir même, alors que tout le monde est endormi, je m'assieds près de maman. Je lui prends la main et je lui rapporte les mots de M. Selamame.

— Ce n'est pas parfait, dis-je tranquillement, mais on verra après. Iris, Soly et moi, nous serons un temps tirés d'affaire. On survivra.

Le médecin m'a confirmé que maman ne pouvait pas m'entendre ; pourtant, à l'annonce de cette bonne nouvelle, son corps se détend. Elle paraît plus calme.

Elle reste encore un jour avec nous. Iris et Soly savent ce qui se profile. Ils s'installent à son chevet et lui racontent des histoires. Je leur ai expliqué que, même si maman dormait, tout au fond d'elle, elle savait qu'ils étaient là.

Parfois, ils pleurent. J'essaie de ne pas leur montrer à quel point j'ai peur.

— Tout ira bien, leur dis-je. Je serai avec vous.

— On veut maman ! On ne veut pas qu'elle s'en aille !

— Elle ne va pas partir. Pas vraiment. À chaque fois qu'elle vous manquera, il vous suffira de fermer les yeux et de penser à elle pour qu'elle soit près de vous.

J'espère que c'est vrai. Même si ça ne l'est pas, je ne sais pas quoi dire d'autre.

Les gens pensent que je me fais des idées quand je leur raconte ce qui suit, mais ça m'est égal. La fin est arrivée au milieu de la nuit. J'étais allongée sur ma natte, près de maman. Soly et Iris étaient dans la pièce voisine avec Esther. Je ne sais pour quelle raison je me suis réveillée. Maman me regardait.

Je me suis dressée sur un coude. « Elle est dans le coma, ai-je pensé. Est-ce que je rêve ? »

« Ne t'inquiète pas, a-t-elle murmuré. Je suis juste venue te dire au revoir.

– Non ! l'ai-je suppliée. Pas encore, je t'en prie ! Pas déjà ! »

Elle a ri tout doucement : « Tu t'en sortiras très bien. Je te fais confiance. »

Et elle est morte.

Je suis allée chercher Iris et Soly. Ils étaient debout devant la fenêtre, avec Esther. « Ils viennent de se réveiller », m'a-t-elle dit.

J'allais leur annoncer pour maman quand Iris a crié :
– Chanda, viens vite !

Elle montrait quelque chose, dehors. Je me suis précipitée et là, perchée sur la brouette, j'ai vu ma cigogne, qui tendait le cou vers nous. Iris et Soly lui ont fait des signes de la main. La cigogne a levé une patte, comme pour nous bénir. Puis elle a arrondi le dos et s'est envolée.

Elle a décrit trois cercles autour du jardin avant de disparaître dans la nuit.

J'ai serré mes petits contre moi.

« C'était maman, n'est-ce pas ? » a murmuré Soly.

Mon esprit disait non, mais mon cœur lui a répondu :
« Oui

— Elle est partie, maintenant ?

— Oui. »

Épilogue

Ça n'a pas été facile tous les jours, depuis la mort de maman. À certains moments, je suis si fatiguée que je peux à peine bouger, et mon chagrin est tellement énorme qu'il prend toute la place. J'essaie de m'occuper, comme faisait maman.

Les Tafa ont pris en charge des dépenses de l'enterrement, dont un moriti. Je leur ai promis de les rembourser. « Pas question ! m'a répondu Mme Tafa. C'est nous qui te remboursons. »

Tout le quartier est venu à la fête d'enterrement. Pour une fois, personne n'était forcé de mentir sur les causes du décès ; on respirait plus librement.

De temps à autre, quelqu'un venait me confier : « J'ai un parent malade. » Ou un grand-parent. Ou une tante, un oncle, un cousin, un meilleur ami. « Tu es la première personne à qui je peux en parler. »

Avant de partir pour Tiro, maman avait rédigé un testament, dont elle avait confié un exemplaire à Mme Tafa et l'autre au prêtre. Elle m'a légué la maison et tous ses biens, en attendant qu'Iris et Soly grandissent.

J'ai proposé à Esther de s'installer définitivement avec nous et de faire venir ses frères et sœur. Un de ses frères était heureux chez son oncle Kasigo, mais les deux autres ont accepté. La maison a été bondée, jusqu'à ce que M. Tafa construise deux pièces supplémentaires sur le côté.

Nous avons aussi agrandi le poulailler et le potager. Le week-end, nous sommes tous de corvée. La semaine, toutefois, c'est Esther qui se charge de l'essentiel du travail domestique, pendant que je travaille à l'école primaire.

Le moment le plus éprouvant, ç'a été quand j'ai emmené Iris et Soly à l'hôpital pour voir Mme Wiser. Esther, son frère et sa sœur nous ont accompagnés. « La dernière fois que je suis venue, ai-je dit à l'infirmière, vous m'avez proposé un test de dépistage du sida, mais je n'étais pas prête. Aujourd'hui, je le suis. Voilà ma famille. Nous voulons connaître la vérité. »

Les tests étaient tous négatifs, sauf celui d'Esther. Nous sommes tombées dans les bras l'une de l'autre et nous avons pleuré longtemps.

Mme Wiser a inscrit le nom d'Esther sur la liste d'attente d'une organisation humanitaire, afin qu'elle puisse obtenir des médicaments antirétroviraux. « La mauvaise nouvelle, c'est que la liste est longue, lui a-t-elle dit. Il faudra un certain temps pour que ton nom arrive en haut. La bonne nouvelle, c'est que tu es en excellente santé. Tu devrais pouvoir bénéficier du traitement avant d'être malade. Rappelle-toi : de nouveaux médicaments sont découverts chaque année. Ne perds pas espoir. »

Elle a organisé un rendez-vous pour Esther avec le conseiller du centre Thelabo. Esther a fait mine de n'avoir peur de rien, n'empêche que le jour du rendez-vous, elle était terrifiée.

« Tu veux que je t'accompagne ? lui ai-je proposé.

— Tu es sûre ? Les gens risquent de croire que tu as le sida, toi aussi.

— Et alors ? Qu'ils pensent ce qu'ils veulent ! Ça m'est égal. »

Esther a poussé un cri de triomphe et s'est mise à danser autour de la pièce :

« Tu es ma meilleure amie, pour toujours ! »

Lorsque les gens vont au Welcome Centre pour la première fois, ils entrent en général par derrière, et regardent par-dessus leur épaule pour s'assurer que personne ne les a reconnus. Pas nous.

« Si les gens veulent parler, donnons-leur matière à parler », ai-je suggéré à mon amie.

Esther a passé une jupe de couleur vive et un chemisier à pois ; j'ai enfilé la robe jaune avec les perruches bleues que Mme Tafa avait offerte à maman. Nous avons chanté tout le long du trajet à bicyclette, puis nous sommes entrées la tête haute par la grande porte du Centre.

Un grand drap blanc était déployé dans le hall d'entrée. Sur le côté, un crayon feutre pendait au bout d'une ficelle. Des dizaines de visiteurs l'avaient utilisé pour écrire sur le drap : « Tout le monde est soit infecté, soit affecté » ; « On ne peut pas changer le passé, mais on peut changer l'avenir » ; « Quand il y a de l'amour, il y a de la vie. Quand il y a de la vie, il y a de l'espoir » ; « Vivez au présent. »

Nous avons traversé le hall et emprunté un couloir donnant sur une grande salle où trônait un piano. Dans un coin, un groupe d'hommes et de femmes de tous âges prenaient le thé, assis autour d'une table basse. Certains paraissaient en bonne santé ; d'autres étaient très maigres. Ils nous ont accueillies avec un sourire : « Dumêlang ».

« Dumêla, a dit Esther d'une voix forte. Je viens pour mon rendez-vous. »

Une grosse femme s'est levée et s'est approchée de nous. Elle a étreint Esther. « Dumêla. Je suis la psychologue, Banyana Kaone. »

Je l'ai regardée, bouche bée. « Ainsi, c'est elle, Banyana Kaone, ai-je pensé. La dame sida du journal, celle qui distribue des préservatifs. »

De près, elle ne me semblait plus ni vieille, ni bizarre, ni rien. On aurait dit une maman

Une demi-seconde plus tard, elle m'a prise dans ses bras, et soudain je me suis sentie comme à la maison.

Depuis ce jour, nous sommes revenues au centre au moins une fois par semaine pour chanter avec la chorale, jouer aux cartes ou dîner tous ensemble. Mais ce qui nous plaît le plus, c'est l'ambiance de camaraderie, le sentiment de réconfort qu'on éprouve lorsqu'on est avec des amis qui traversent les mêmes épreuves. « Je ne suis pas seule, dit Esther. Je me sens revivre. »

Je me rappelle que maman me conseillait de garder ma colère pour combattre l'injustice. Eh bien, désormais, je sais ce qui est injuste. L'ignorance qui entoure le sida. La honte. La stigmatisation des malades. Les secrets qui incitent les gens à se cacher derrière leurs volets. Le centre d'accueil ouvre les volets pour laisser entrer l'air frais et la lumière.

Hélas, c'est le seul centre qui existe à des kilomètres à la ronde. Ce n'est pas étonnant, dans ces conditions, que les gens craignent de s'y rendre. Il faudrait ouvrir des centres partout.

Voilà à quoi je pense, assise dehors, sous la lune. Je ferme les yeux et je m'imagine un centre dans ma propre cour. Le Centre de l'Amitié Lilian Kabelo. J'explose de rire. C'est une idée folle. Quoique... Je n'ai pas besoin de bâtiment. Dans l'immédiat, il me suffit d'un endroit où les gens pourront se rencontrer.

Et j'ai cette cour. Le Centre de l'Amitié Lilian Kabelo. Des rêves, des rêves, des rêves...

Remerciements

Je tiens à exprimer mon immense gratitude à tous les gens que j'ai rencontrés au Botswana, au Zimbabwe et en Afrique du Sud. Sans leur amitié, leurs conseils et leur soutien, je n'aurais jamais pu écrire ce livre. Je remercie tout particulièrement Patricia Bakwinya, Tebogoc et Chanda Selamame, du groupe Thireletso de sensibilisation au problème du sida ; Solomon Kamwendo et la compagnie de théâtre Ghetto Artists ; Rogers Bande et Anneke Viser du COCEPWA, le centre de soutien aux personnes atteintes du sida ; Angeline Magaga, du centre Light and Courage ; le professeur K. Osei-Hwedie de l'université du Botswana ; les membres du PACT (Peer Approach to Counseling by Teens) ; Banyana Parsons, du foyer Kasigano pour les femmes ; Richard et John Cox ; et tous ceux qui m'ont invité chez eux, en ville, au village ou à la ferme. Au Canada, je remercie l'Ontario

Arts Council et le Toronto Arts Council ; Barbara Emanuel ; Mary Coyle et, Kim McPherson, du Coady International Institute ; et enfin, toute l'équipe d'Annick Press, en particulier mon éditrice, Barbara Pulling, et son assistante, Elizabeth McLean.

Dans la même collection

**Gilly, grave amoureuse,
13 ans, presque 14...**
de Claire Robertson

Les larmes de l'assassin
d'Anne-Laure Bondoux

**Cherry, ses amis,
ses amours,
ses embrouilles**
d'Echo Freer

Quand j'aurai 20 ans
de Jacques Delval

Ciel jaune
de Marie-Hélène Delval

Accroche-toi, Sam !
de Margaret Bechard

Mercredi mensonge
de Christian Grenier

Angel Mike
de Regine Beckmann

Planète Janet
de Dyan Sheldon

Sous le vent de la liberté
1. Lumières d'Amérique
2. Chasseurs de proies
3. Les Temps Cruels
de Christian Léourier

DJ Zoé
de Jonny Zucker

Hathaway Jones
de Katia Behrens

La Marmite du Diable
d'Olivier Silloray

Le Secret de Chanda
d'Allan Stratton

La Traversée de l'espoir
de Waldtraut Lewin

Le voyage scolaire
de Mora Nilson-Brännström

Plus un mot
de E. L. Konigsburg